Antes de med

Myla Renshaw León

1.ª edición: marzo 2013
5.ª impresión: marzo 2016

Dirección de la colección: Olga Escobar

Juan Ignacio Luca de Tena, 15. 28027 Madrid
www.anayainfantilyjuvenil.com
www.anayapizcadesal.com
e-mail: anayainfantilyjuvenil@anaya.es

Diseño de cubierta:
Miguel Ángel Pacheco, Javier Serrano
y Patricia Gómez

ISBN: 978-84-678-4098-8
Depósito legal: M. 2538/2013
Impreso en España - Printed in Spain

Las normas ortográficas seguidas son las establecidas por la Real Academia Española en la *Ortografía de la lengua española*, publicada en 2010.

Ana Alonso

Antes de medianoche

Ilustraciones
de Pedro Bascón

ANAYA

Capítulo 1

Raúl abrió la agenda escolar para anotar la fecha del examen de matemáticas y se quedó mirando la página del 22 de marzo con la boca entreabierta. Ese era precisamente el día del examen, y la página debería haber estado en blanco, pero no lo estaba. Alguien había escrito una nota en la parte de arriba con tinta morada. Alguien que no era ninguno de sus amigos, porque no reconoció la letra de Guillermo, ni la de Luz, ni la de Dani...

El caso era que aquella escritura pequeña y redondeada le resultaba familiar, pero no recordaba dónde la había visto. Y la nota no estaba firmada... Solo decía lo siguiente:

«Abre el libro de Plástica por la página 63. Por favor, tienes que hacerlo hoy mismo. Es muy importante».

—Raúl, ¿qué te pasa? —preguntó Sofía, la profesora de matemáticas—. ¿No has oído la pregunta?

Raúl levantó la vista de la agenda y la cerró rápidamente sin haber apuntado la fecha del examen.

—Lo siento, Sofía. Estaba distraído, perdona.

La profesora suspiró.

—Te preguntaba si querías salir a la pizarra a hacer el último problema. Quedan solo tres minutos para que suene el timbre, y como tú sueles ser rápido...

—Yo... prefiero no salir, si no te importa. Es que me duele un poco el estómago.

Sofía miró a Raúl con extrañeza. No era normal en él negarse a hacer algo en clase de matemáticas. Adoraba aquella materia, y siempre era el primero en terminar los problemas que hacían en clase.

—Yo lo haré —dijo entonces Emma, la chica de la última fila.

Eso tampoco era normal, pensó Raúl mirando a la muchacha mientras esta se levantaba del pupitre y se dirigía con gran seguridad hacia el encerado. Emma había sido compañera suya desde primero de Primaria, y nunca en todos aquellos años la había visto salir voluntaria a la pizarra. Si había algo que Emma odiaba por encima de todo, era llamar la atención. No era muy popular entre sus compañeros, y ella lo sabía. También sabía que cualquier pequeño error que cometiera desataría las burlas y risitas de la banda de las *barbies,* las cuatro chicas rubias, empalagosas y cotillas que se sentaban en las dos primeras filas junto a la ventana, justo enfrente de la mesa del profesor.

Una de las *barbies,* Sara, susurró algo al oído de su compañera cuando Emma se plantó frente a la pizarra

y empezó a escribir números y signos a toda velocidad. La otra chica se rio. Raúl se mordió el labio inferior y miró hacia el techo un momento. Emma no tendría el don de la simpatía, pero tampoco se metía con nadie, nunca lo había hecho. No se merecía ser el blanco de las burlas de las *barbies*. Bastante tenía con ser como era...

Aunque ¿cómo era Emma realmente? Raúl casi no sabía nada de su vida. Solo sabía que nunca la había visto jugar con las demás chicas, que casi no participaba en clase, que solía llevar pantalones y jerséis negros que resaltaban el violeta azulado de sus ojos, y que en los recreos se sentaba a leer en las escaleras del gimnasio y no hablaba con nadie. Otra cosa que sabía era que él le caía bien, a diferencia de casi todos los demás compañeros de la clase. No le hablaba mucho, si lo veía por los pasillos le saludaba con un murmullo casi inaudible, y jamás le había dirigido una sonrisa. Pero a veces sus miradas se cruzaban, y era... extraño, como si se conociesen muy bien y no hiciera falta hacer ni decir nada para demostrarlo. Era extraño, sí; y también agradable.

Emma seguía escribiendo números en la pizarra, y Raúl estaba a punto de comprobar los resultados en su cuaderno cuando de repente se fijó en una cosa. Se fijó en que la forma redondeada y elegante de aquellos números se parecía mucho a la escritura de la nota que había visto en su agenda. Para asegurarse, abrió otra vez la agenda con disimulo. Sí, no había duda... Aquella nota la había escrito Emma.

Pero ¿cómo sabía Emma que él iba a abrir la agenda por la página del 22 de marzo antes de que la profesora dijera la fecha del examen? ¿Y cuándo le había cogido la agenda para escribir aquellas líneas? Tenía que haber sido en el recreo, aunque supuestamente nadie podía entrar en las aulas durante aquellos veinte minutos. A lo mejor le había pedido permiso a la conserje para ir a buscar la chaqueta o el almuerzo o cualquier otra cosa. Y la conserje le había prestado la llave...

Claro que la pregunta principal no era cómo se las había arreglado Emma para escribir aquella nota, sino por qué la había escrito. Y sobre todo, por qué tenía tanto interés en que mirase la página 63 del libro de Plástica. Ese día, como era viernes, no tenían Plástica, así que se había dejado el libro en casa. No podría mirarlo hasta que llegara. Suerte que los viernes no se quedaba al comedor, porque no tenía extraescolares por la tarde.

La clase de matemáticas era la última de la mañana. Emma aún no había escrito la solución del problema cuando sonó el timbre. Sin esperar a que terminara, todo el mundo empezó a hacer ruido con las cremalleras de las mochilas y los estuches. Sofía pidió silencio, pero ya no había nada que hacer. Era viernes a última hora. Hasta Emma salió corriendo hacia su pupitre en cuanto terminó de escribir en la pizarra.

Al pasar junto a Raúl, le miró un instante; y Raúl creyó notar cierto nerviosismo en su expresión. Vergüenza, quizá. O tal vez miedo...

Durante todo el trayecto de vuelta en el coche de su padre, Raúl no pudo dejar de pensar en aquella mirada.

* * *

—Raúl, ¿no vienes a comer? —le llamó su padre desde la cocina—. La pasta se enfría.

—Ya voy, papá —contestó Raúl sin moverse de su cama.

Estaba tumbado con las piernas cruzadas sobre el edredón azul y negro, releyendo por quinta vez la invitación que tenía entre las manos. La había encontrado dentro del libro de Plástica, al abrirlo por la página 63; era un pequeño rectángulo de cartulina violeta con unas líneas de texto:

> El 16 de marzo cumplo trece años, y me gustaría celebrarlo contigo. La fiesta es en mi casa, desde las ocho de la tarde hasta la medianoche.
> Mi dirección es calle del Cuervo, 35. Está justo detrás del parque viejo. Habrá otros invitados.
> Por favor, si no puedes venir, llámame al 600 800 874
>
> Emma

María, la hermana pequeña de Raúl, abrió la puerta de la habitación sin llamar, como hacía siempre.

—Dice papá que vengas —anunció en voz más alta de lo necesario—. Se está enfadando... ¿Qué es eso?

Antes de que Raúl pudiera impedírselo, María le arrancó la invitación de entre las manos y empezó a leerla.

—¿Un cumpleaños? ¿Hoy? ¿Y quién es esa Emma? ¿Va a tu clase?

Raúl se dio cuenta de que estaba enrojeciendo, cosa que le irritaba muchísimo. De un manotazo, recuperó la invitación y se la guardó en el bolsillo.

—No es asunto tuyo —gruñó—. Además, no sé si voy a ir.

—Claro que no irás. No te dejarán. Una fiesta hasta medianoche... mamá dirá que no, ¿qué te apuestas?

—¿Por qué va a decir que no? —replicó Raúl adelantándose a su hermana para llegar antes que ella a la cocina—. No es para tanto. El otro día, cuando salimos a cenar con ellos y al musical, llegamos a casa después de las doce, y no pasó nada.

—Eso es distinto. Una cosa es ir con tus padres a cenar y otra muy distinta salir por ahí con tus amigos. No te van a dejar.

—No vamos a salir, es una fiesta en su casa. Además, ¿a ti qué te importa? No es tu problema...

Ya habían entrado en la cocina, donde su padre les aguardaba sentado a la mesa con el tenedor en la mano y cara de impaciencia.

—Claro que no es mi problema. Si quieres salir por ahí de noche con esa tal Emma, por mí perfecto. Como si te casas con ella.

Los dos hermanos se sentaron cada uno en su sitio. Raúl le lanzó una mirada asesina a María, que prefirió ignorarle.

Pero el mal ya estaba hecho. Las palabras de María habían atraído la atención de su padre.

—¿Qué es eso de que vas a salir con una chica, Raúl? ¿Quién es? Esto tenemos que hablarlo con tranquilidad, supongo que lo entiendes. Eres muy joven todavía...

Raúl, que estaba a punto de meterse el tenedor en la boca, lo volvió a dejar en el plato.

—¡No voy a salir con nadie! —exclamó indignado—. Una chica de mi clase me ha invitado a su fiesta de cumpleaños. Es esta noche, y ni siquiera sé si voy a ir. No es muy amiga mía que digamos. La verdad es que no es muy amiga de nadie. Casi siempre está sola.

—¿En serio? Pobre chica. En ese caso, creo que deberías ir a la fiesta. Hay que ayudar a la gente que tiene problemas para integrarse. No es agradable sentirse aislado.

—¡Pero es una fiesta en su casa, y por la noche! —protestó María asombrada—. Eso es rarísimo, papá, reconócelo. A lo mejor sus padres son gente peligrosa, ladrones o secuestradores o, yo qué sé, mafiosos. Imagínate que todo es un truco para secuestrar a los compañeros de clase de la hija.

—Estás mal de la cabeza —gruñó Raúl arqueando las cejas—. En serio, a ti te falta un tornillo.

Sin embargo, su padre pareció tomarse en serio las disparatadas ideas de María, porque de repente le empezaron a entrar dudas.

—Esa chica que te ha invitado, ¿es buena estudiante? —preguntó.

—Saca muy buenas notas, aunque no es muy participativa.

—Bueno, en ese caso no puede ser tan mala. Veremos lo que dice tu madre cuando llegue de trabajar. Ella está en el Consejo Escolar, a lo mejor conoce a los padres de tu compañera. De todas formas, yo creo que deberías darle una oportunidad.

—En la invitación viene un teléfono para llamar en caso de que no vayas a ir a la fiesta —dijo Raúl—. Creo que la llamaré. Quiero preguntarle por qué me ha invitado. Y, según lo que me diga, ya decido.

—Me parece bien, hijo —opinó su padre, sonriendo—. Ya sabes que mamá y yo confiamos plenamente en ti. Al fin y al cabo, tú conoces mejor a esa chica que nosotros, así que la decisión debería ser tuya.

Raúl miró a María con una sonrisa triunfal y desafiante, pero su hermana prefirió fingir que no le había visto y siguió comiendo sin hacerle el menor caso.

Capítulo 2

La voz de Emma sonó en el móvil después de un par de tonos de espera.

—Raúl, ¿eres tú?

El muchacho tardó un segundo en responder.

—¿Cómo lo sabes? Nunca te he dado mi teléfono.

—Sabía que, si alguien me llamaba, serías tú. Los otros ni siquiera se molestarán. No me soportan.

—¿Has invitado a tu cumpleaños a gente que no te soporta? —preguntó Raúl, perplejo—. Pero ¿por qué? No lo entiendo... ¿A quién has invitado?

—A Guillermo, a Sara y a Luz. La que no me soporta es Sara, los otros no creo que se hayan tomado siquiera la molestia de odiarme. Me ignoran, simplemente. Llevan haciéndolo desde primero de Primaria. Más o menos como tú.

—Oye, perdona, eres tú la que pasa de todos los demás. Y de todas formas, si te caemos tan mal, no tienes ninguna obligación de invitarnos. Y hablando de

eso, creo que lo mejor será que no vaya a tu fiesta. Te llamaba simplemente para informarte...

—No; espera, Raúl. —El tono de Emma, de pronto, había cambiado completamente. Ya no era frío, sino casi suplicante—. Tú no me caes mal, nunca me has caído mal. Al contrario... Ya sé que todo esto de la fiesta es muy raro, pero no se trata de un capricho, de verdad. Si os he invitado a los cuatro, es porque os necesito. Necesito que me ayudéis; es muy importante para mí.

Raúl creyó comprender entonces lo que le pasaba a Emma. Seguramente sus padres le estarían dando la paliza todo el día con que tenía pocos amigos y debía relacionarse más. La habrían presionado para celebrar aquella fiesta de cumpleaños. Los padres pueden ser tremendamente despiadados con esas cosas. Y ella, como no sabía qué hacer, había terminado invitando a boleo a cuatro compañeros de clase: dos chicos y dos chicas. Una solución desesperada, sin duda. No debía de haberlo meditado mucho, ¡de lo contrario no habría invitado a Sara!

—Oye, si es tan importante, creo que podré ir. Lo que no te aseguro es que me vaya a quedar hasta las doce de la noche. Es un poco tarde, y mis padres no me darán permiso.

—Tienes que convencerlos —contestó Emma. La ansiedad se filtraba en su voz como un hilo de tinta negra en medio de una corriente cristalina—. Si no me acompañáis hasta las doce, no servirá de nada. Por favor, Raúl. Te lo compensaré, te lo prometo. Sé que no he sido muy buena compañera todos estos años, pero intentaré ser mejor a partir de ahora. Y además, necesito que me hagas otro favor...

—¿Cuál?

—Tienes que convencer a los otros tres. Sé que no piensan venir, estoy casi segura. Pero si tú les pides que vengan, lo harán. Os necesito a los cuatro, es un asunto de vida o muerte para mí. En serio, tienes que creerme.

Raúl asintió con la cabeza, sin pensar en que Emma no podía ver su gesto a través del teléfono.

—Oye, yo te creo, pero tienes que entender que todo esto es muy raro —dijo—. Si quieres que intente convencer a los otros, tendrás que explicarme lo que pasa un poco mejor. Además, hay muchas cosas que no entiendo todavía. ¿Cuándo escribiste la nota en mi agenda, y cómo sabías que tendría que mirar la página del veintidós de marzo justamente hoy?

Emma tardó unos segundos en contestar.

—Porque sabía que Sofía iba a poner el examen el día veintidós, y que tú tendrías que anotarlo en esa página —dijo finalmente.

—¿Y cómo lo sabías? No le habrás robado la clave de Internet o algo así...

—No, no, no es eso. Justamente tiene que ver con lo de mi cumpleaños, Raúl. Sé que todos me consideráis un poco rara. Pero la verdad es que os quedáis cortos. No soy solo un poco rara; soy bastante rara. Y una de mis rarezas es que... bueno, a veces adivino cosas.

—¿Adivinas el futuro? —preguntó Raúl, incrédulo—. Te lo estás inventando...

—No es que adivine el futuro. Adivino cosas porque a veces puedo leer la mente de los demás. Lo hago sin querer, no es por fisgonear. Me sale solo... Oí a Sofía pensando en la fecha del examen hace un par de días. Por eso sabía que sería el día veintidós.

Aquella explicación dejó a Raúl sin palabras durante casi medio minuto.

—¿Sigues ahí? —preguntó Emma, preocupada—. Raúl, por favor. Sé que es difícil de creer, pero no te estoy tomando el pelo. Si vienes esta noche, lo entenderás mucho mejor.

—¿Qué eres, una extraterrestre o algo así?

—No, es algo bastante diferente —dijo Emma, y a continuación soltó una risilla que sonó forzada, sin alegría—. Por favor, prométeme que vendrás y que intentarás convencer a los otros. A las ocho. Veréis y oiréis cosas muy extrañas esta noche, no quiero mentirte. Pero te prometo que no correréis ningún peligro. Al menos, vosotros no.

—¿Qué quieres decir? ¿Tú sí?

Otra vez se repitió aquella risa falsa, triste.

—Si las cosas no salen como yo quiero esta noche, no volveréis a verme en clase. Ni en ningún otro sitio. Tendré que dejar todo esto; a mi padre, mi casa, todo lo que he conocido desde que era una niña. Todo lo que me hace humana, Raúl. Me obligarán a renunciar a todo eso definitivamente. Pueden hacerlo...

Por primera vez desde el comienzo de la conversación, Raúl sintió una punzada de miedo; miedo de verdad.

—¿Que pueden obligarte? ¿Quiénes? Emma, por favor, ¿de quiénes estás hablando?

—De ellas. Esta noche vendrán a buscarme. De momento no puedo darte más detalles... pero tampoco hace falta. Esta misma noche las conocerás.

* * *

La primera en llegar a la entrada del centro comercial fue Sara. Al ver a Raúl sentado en el zócalo de la escultura de los sombreros, como la llamaban todos, se fue directamente hacia él.

—Es una broma, ¿no? —fue lo primero que dijo, sacudiéndose hacia atrás su melena rubia—. No estarás

pensando en serio en ir al cumpleaños de esa friki. Lo has usado de excusa para quedar conmigo... No es la primera vez que me pasa, cielo. Pero no te hagas ilusiones; que haya venido no significa que estemos saliendo... por ahora.

Aquel discurso dejó tan pasmado a Raúl, que por un momento no encontró palabras para responder.

—No... yo no estaba buscando ninguna excusa. Lo del cumpleaños va en serio. También van a venir Luz y Guillermo. ¡Creí que te lo había dicho!

—Os habéis vuelto todos locos.

Por la expresión falsamente ofendida de Sara, Raúl se dio cuenta de que la muchacha sabía desde el principio que aquello iba en serio y que no se trataba de una excusa para quedar con ella. Lo único que intentaba era lograr que se sintiera incómodo. Él era uno de los pocos chicos de la clase que no se dejaba deslumbrar por su belleza y por sus modelitos a la última, y Sara no podía perdonárselo. Le odiaba casi tanto como a Emma.

En ese momento llegó Luz. Llevaba puesto un vestido negro de vuelo que le daba un aspecto muy diferente al que solía tener en clase, con sus vaqueros y sus jerséis holgados. Parecía mayor... Además, no traía el pelo recogido en una cola de caballo, como de costumbre. Se lo había dejado suelto.

—Cuando vi la nota en la agenda no podía creérmelo. Y luego la invitación —dijo, sacándose del bolso la pequeña tarjeta morada y mirándola con aire pensativo—. Pobre Emma, tiene que estar muy desesperada para haber montado todo este circo. Y todo para conseguir que fuésemos a su fiesta... Me siento fatal por ella, de verdad.

—No está desesperada, está loca —afirmó Sara, mientras miraba con ojos de entendida el vestido de Luz—. ¿Dónde te lo has comprado, en una de las tiendas de aquí? No está mal, para alguien como tú. Quiero decir... no es mi estilo, por supuesto, pero es pasable... Sí, bastante pasable.

—Pues muchas gracias por tu aprobación —replicó Luz en tono mordaz—. Y volviendo a la fiesta, va a ser un poco incómodo, ¿no? Solo ella y nosotros cuatro. Si es que Guillermo se decide a venir. Pasa tanto de todo el mundo...

—Me prometió que vendría —aseguró Raúl—. Y Guille no es de los que incumplen sus promesas.

—¿Por qué te has tomado tantas molestias para convencernos de que fuésemos a esa fiesta estúpida? —preguntó Sara mirando al muchacho con la cabeza ladeada—. ¿Es que te gusta Emma? Es una friki. ¿Cómo puede gustarte?

—Es diferente. Eso no la convierte en una friki —contestó Raúl de mal humor—. Además, cuando hablé con ella me di cuenta de que estaba asustada. Esto es algo más que una fiesta de cumpleaños. Emma se juega algo, algo importante. Me pidió por favor que os convenciera para ayudarla, y es lo que he hecho. Nada más.

—O sea, que es verdad. No lo has negado —dijo Sara, apuntando a Raúl con un dedo acusador—. Emma te gusta.

Raúl se dio cuenta de que estaba enrojeciendo. Aquello era ridículo. Lo único que quería Sara era que él lo negase, que dijese que Emma no le gustaba ni le había gustado nunca. Pero no iba a hacerlo. No pensaba darle a Sara esa satisfacción. Que pensase lo que quisiera... ¿Qué le importaba a él?

Además, lo cierto era que Emma le gustaba mucho más que Sara. Muchísimo más.

—Tendremos que comprarle un regalo, ¿no? —dijo Luz—. Pero no tengo ni idea de qué podría ser.

—Una camisa de fuerza —contestó Sara sonriendo inocentemente—. A ver si encontramos una bonita. El azul le sentará bien, seguro. ¡Hola, Guillermo! Por fin...

Guillermo se acercó con sus andares desgarbados y una expresión tan solemne que le daba un aire cómico. Se había puesto una camisa granate que llevaba abotonada hasta el cuello, tan limpia y planchada que no parecía suya.

—Siento llegar tarde. Estaba perfilando algunos detalles de última hora con Emma.

Todos lo miraron sorprendidos.

—¿Con Emma? —preguntó Raúl—. ¿Has hablado con ella?

—No es que no me fíe de tu palabra, compañero, pero ya sabes cómo soy yo. Espíritu científico. Me gusta comprobar las cosas por mí mismo. Y lo que me contaste por teléfono me sonó muy raro viniendo de ti. Tenía que asegurarme de que no se trataba de una broma... Así que la llamé.

—¿Y qué te contó?

Antes de contestar a Raúl, Guillermo consultó su aparatoso reloj de pulsera, que parecía de submarinista.

—Os lo contaré por el camino. Vamos, es muy tarde. Su casa queda a más de media hora de aquí, y es importante que lleguemos a tiempo. Después de hablar con Emma, me ha quedado claro: es una emergencia... Nos ha invitado porque nos necesita, y no le podemos fallar.

Capítulo 3

El motor del autobús hacía vibrar el asiento en el que se había sentado Raúl. Luz estaba a su lado, y enfrente se habían instalado Sara y Guillermo. Se encontraban en la parte delantera del vehículo, que no iba demasiado lleno.

Raúl pensó en su madre, en lo poco que le gustaba que utilizase él solo los transportes públicos. Se sentía casi como si estuviese cometiendo un delito... Pero ella le había dado permiso para ir a la fiesta de Emma. Al parecer, cuando eran pequeños su madre y la de Emma solían charlar siempre a la puerta del colegio, mientras esperaban a que saliesen sus hijos. Luego, la madre de Emma se puso gravemente enferma y no volvió a ir a recoger a su hija. Murió cuando estaban en tercero de Primaria.

—Bueno, ¿qué te contó esa loca? —preguntó Sara a voz en cuello en cuanto dejaron atrás la parada—. Tú eres un científico, eso dices siempre. Así que te habrás dado cuenta de que está loca...

—Habla más bajo —le pidió Luz, avergonzada por la forma en que Sara intentaba atraer la atención de todo el mundo—. Esto es entre nosotros, ¿vale?

Sara dejó escapar un teatral suspiro.

—No sabéis divertiros —se quejó—. Si Bea, Raquel y Elisa estuvieran aquí, por lo menos nos reiríamos. Sois unos sosos. ¡Ojalá esa chiflada hubiese invitado a mis amigas!

—Creo que con una sola *barbie* ya tiene suficiente —gruñó Raúl sin poderlo evitar.

Sin embargo, a Sara no pareció molestarle el «mote», sino todo lo contrario, porque le dedicó una espléndida sonrisa.

—Más vale ser una *barbie* que un *click* de Playmobil —dijo, encantada consigo misma—. Sin ofender, claro.

Raúl le lanzó una mirada asesina.

No era el chico más alto de la clase, ni de lejos. Y Sara, que estaba muy crecida para su edad, le sacaba al menos un par de centímetros. Pero aquello era un golpe bajo... en todos los sentidos de la palabra. Claro que él se lo había buscado.

—Bueno, callad de una vez —interrumpió Guillermo con gran seriedad—. Luz tiene razón, Sara. Esto tiene que quedar entre nosotros. Por una vez en tu vida, deja de fingir que eres estúpida y colabora. Emma te ha metido en esto porque confía en ti.

Sara miró a Guillermo un poco desconcertada.

—¿Que confía en mí? —repitió con sorpresa—. ¿Por qué? Nunca he sido su amiga, y no me cae bien. Creía que se lo había dejado bastante claro.

—Lo tiene claro, no te preocupes. No es que confíe en tu amistad... sino en tu ingenio. Has demostrado muchas veces que tienes un don para los juegos de palabras. Sobre todo, cuando se trata de burlarse de alguien.

—No entiendo —insistió Sara, perdida—. ¿Me ha invitado para que me burle de ella?

Guillermo resopló, estaba a punto de perder la paciencia.

—No. Te ha invitado para que utilices tu talento de una forma un poco más constructiva. Esta noche, Emma tendrá que enfrentarse a cuatro pruebas. Las cuatro están relacionadas con el lenguaje. Me costó sacárselo, no quería contárnoslo hasta que llegásemos a su casa. Pero creo que es mejor así. De esa forma nos vamos preparando.

—¿Nos ha invitado para participar en esas pruebas? —preguntó Luz—. Supongo que habrá pensado que eso nos gustaría. Pobrecilla, se ha tomado muchas molestias...

—Lo de las pruebas no ha sido idea suya, sino de sus tías —aclaró Guillermo—. La idea de esta especie de «fiesta» es de ellas.

—¿Sus tías? —Sara abrió tanto sus ojos azules que parecía una muñeca asustada—. Es lo que me faltaba por oír. O sea, que nos invita a nosotros y a sus tías... ¡Menudo aburrimiento!

—Por lo que me ha contado, me parece que sus tías no tienen nada de aburridas —replicó Guillermo bajando la voz—. Para empezar, ni siquiera son humanas... Son unas criaturas sobrenaturales, una especie de hadas de la noche o algo así.

Todos lo miraron como si hubiese perdido la cabeza.

—No es posible. A mí no me dijo nada de eso —murmuró Raúl—. Además, es un disparate.

Se sentía un poco herido por el hecho de que Emma le hubiese confiado a Guillermo un secreto que no había querido compartir con él.

—No te lo dijo porque sabía que no la creerías. Al menos, no al principio. En cambio yo...

—¡Pero si tú eres el científico del grupo! —le interrumpió Raúl—. ¿Cómo te vas a tragar una historia sobre las hadas?

—Yo no me trago nada. Pero tampoco rechazo nada, ¿entiendes? Eso es tener un espíritu científico. Emma dice que esta noche podré comprobar que esa historia de sus tías es cierta. Y es a lo que he venido; a comprobarlo. Pienso tener los ojos y los oídos bien abiertos... por lo que pueda suceder.

Los cuatro se quedaron callados mientras el autobús se detenía en una parada y una anciana subía arrastrando su carrito de la compra.

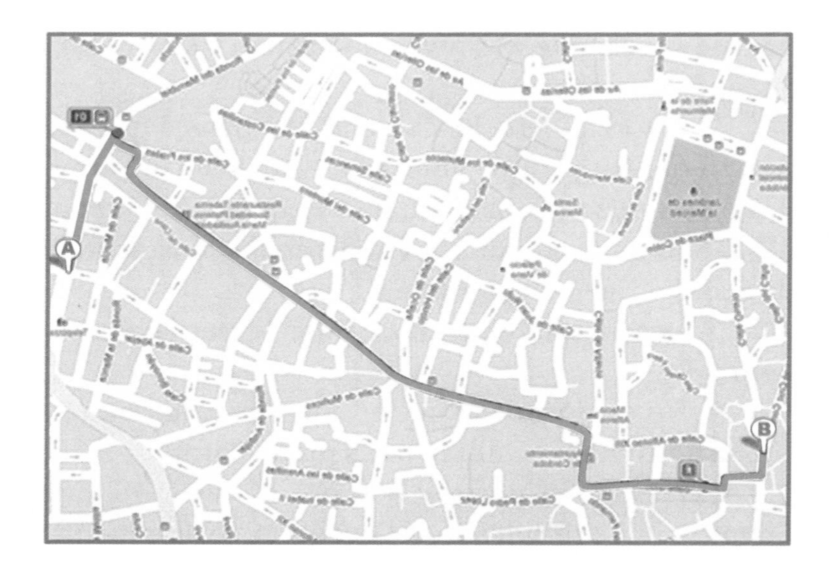

Fuera, el cielo encapotado lo llenaba todo con su amenaza de lluvia. Parecía más tarde de lo que realmente era. De todas formas, no tardaría en anochecer.

—Yo me bajo en la siguiente parada —dijo Sara de repente—. La gente loca me da miedo. Y Emma tiene que estar muy mal de la cabeza para haberse inventado un cuento así sobre sus tías. Lo que deberíamos hacer es hablar con la tutora. Una persona así no puede estar en un colegio normal. Tendrán que meterla en un centro especializado.

Todos la miraron como si acabase de decir algo monstruoso.

—¿Te da miedo que se lo haya inventado todo, o te da miedo que sea verdad? —preguntó Guille en tono burlón.

—No digas tonterías. Parecéis críos de infantil, ¿es que los videojuegos os han atrofiado el cerebro? No existen las hadas, ni los superhéroes, ni las mascotas mágicas, ni los equipos de fútbol sobrenaturales... Esas cosas solo pasan en la tele, a ver si os enteráis.

El autobús aminoró la velocidad y se metió en el carril de la derecha.

—Mira, ahí está la parada —dijo Raúl, desafiante—. ¿De verdad vas a bajarte?

—Deja que se vaya, está muerta de miedo —comentó Guille.

—No sabéis lo que estáis diciendo. ¿Creéis que sois más valientes que yo? —Sara miraba a Raúl con ojos llameantes—. Ya veremos cuando estemos allí. Veremos quién tiene miedo y quién no.

—O sea, que te quedas... —dijo Luz.

Sara le clavó sus fríos ojos azules.

—Sí, me quedo. ¿Y tú qué? ¿Por qué no dices nada?

—Yo... No sé qué pensar. Emma es un poco rara, pero nunca me ha parecido una loca.

—O sea, que tú ves normal que alguien te invite a una fiesta y te comente así, como de pasada, que van a estar también sus tías y que no son humanas.

—No lo veo normal, pero supongo que tendrá sus razones.

—A lo mejor era una forma de hablar —sugirió Raúl—. A lo mejor lo que quería decir es que son tan raras que no parecen humanas. A lo mejor lo que pasa es que le dan miedo y por eso quería que estuviésemos con ella, para sentirse más acompañada.

—Ya. ¿Y la nota que nos dejó en la agenda, justo en la página que sabía que íbamos a abrir? —preguntó Guille—. ¿Eso cómo lo explicas?

Raúl miró a su compañero sin saber qué decir. Guille tenía razón: desde el principio, todo lo que rodeaba aquella fiesta había sido muy extraño. La propia Emma le había dicho que ella no era como el resto de la gente, que podía hacer cosas que los demás no podían hacer. Y no parecía estar de broma cuando lo decía; al contrario, su voz sonaba casi desesperada.

—¿Sabéis lo que pienso? Pienso que todo esto forma parte de un juego —dijo Luz en tono confiado—. Emma quiere impresionarnos, y ha montado todo esto para que nos divirtamos. Seguro que cuando lleguemos a su casa nos están esperando sus tías disfrazadas de hadas con varitas y todo. ¡Pobre chica! Debe de sentirse muy sola para haberse tomado tantas molestias por nosotros.

Raúl miró a su alrededor y, tras comprobar que habían dejado atrás la plaza de los Arcos, pulsó el botón de parada.

—Es la siguiente —dijo—. Ni siquiera le hemos comprado un regalo...

—Un poco más adelante hay una librería. Podríamos comprarle un libro, seguro que le encanta leer —sugirió Luz.

—Si, buena idea —Sara hizo una mueca—. Seguro que le encanta... ¡Ya os dije que estaba loca!

Nadie se molestó en llevarle la contraria, porque el autobús acababa de detenerse y había llegado el momento de bajar.

Capítulo 4

La verja del jardín se abrió con un zumbido en cuanto pulsaron el botón del portero automático. Raúl miró acobardado hacia el destartalado caserón que tenían enfrente. Justo en ese momento se abrió la puerta, y el camino hasta la casa quedó bañado en la cálida luz del vestíbulo.

Emma corrió hacia ellos y se detuvo a esperarles en medio del camino embarrado. Llevaba un vestido de manga corta que brillaba como si fuese de plata. El viento se enredaba en su falda de vuelo y en las masas oscuras de los árboles, a ambos lados de la casa. Raúl no podía apartar los ojos de la ruinosa fachada, con sus dragones de piedra en las cornisas y las monstruosas gárgolas debajo del tejado.

—Parece el castillo de Frankenstein —dijo Sara en voz baja mientras avanzaban.

—Frankenstein no tenía ningún castillo —replicó Guille—. Querrás decir el castillo de Drácula.

—¿Y qué más da? Es siniestro. Y ella también.

Sara se refería a Emma, que seguía esperándolos inmóvil mientras la brisa agitaba su pelo negro y la tela plateada de su extraño vestido. Tenía un poco de razón, la verdad... Con aquella ropa y delante de una casa tan ruinosa y antigua, Emma parecía casi una criatura fantástica.

Sin embargo, cuando llegaron hasta ella, los saludó con una voz totalmente normal.

—Gracias por venir —dijo con una débil sonrisa—. Sois muy puntuales...

—No sabía que era una fiesta de disfraces —contestó Sara con sorna—. Deberías habérnoslo dicho, me habría traído mi capa y mis dientes de vampiro.

—Vampiresa, querrás decir —corrigió Guille en tono tranquilo.

—No... no es una fiesta de disfraces —se apresuró a aclarar Emma, enrojeciendo ligeramente—. Este vestido me lo ha regalado mi padre... especialmente para esta noche. Bueno, ¿pasamos adentro? La merienda ya está preparada.

—No será sangre fresca, espero...

—Cállate, Sara —susurró Raúl—. No tiene ninguna gracia.

Sara soltó un bufido y siguió a los demás al interior de la casa. Raúl se había imaginado un vestíbulo iluminado con candelabros y decorado con siniestros retratos antiguos en las paredes... Pero lo que se encontraron fue algo bien distinto.

El interior de la casa no tenía nada que ver con el aspecto que tenía por fuera. La decoración era muy moderna, había brillantes lámparas por todas partes, y muebles claros y vanguardistas. Emma los guio desde el recibidor al salón, grande y acogedor, con una tele enorme en una de las paredes y una alfombra de colores delante del sofá.

Justo en ese sofá estaba sentado Julio, el padre de Emma, cuando entraron. Tenía el mando del televisor en la mano y la mirada clavada a la pantalla, donde aparecía un presentador de un programa de noticias. Al ver a los invitados pulsó el botón de apagado y se levantó para darles la bienvenida.

—Me alegro de que ya estéis aquí —dijo—. Emma tenía miedo de que no os presentaseis... Espero que os divirtáis. Lo tenemos todo preparado en la cocina.

—Nosotros... Hemos traído esto de regalo —dijo Luz, tendiéndole a Emma el paquete rectangular que llevaba en la mano—. No sabíamos si te gustaría... A lo mejor ya lo tienes —añadió, mirando con envidia las estanterías repletas de libros que ocupaban una pared entera del salón.

Emma rasgó el envoltorio de papel verde brillante y miró el libro que había dentro con una débil sonrisa.

—No, no lo tengo —dijo, abriéndolo por una página al azar y mirándolo con interés—. «El espejo de bronce»... Tiene muy buena pinta. Gracias.

—Es literatura fantástica —comentó Sara—. Pensamos que te gustaría. Es lo tuyo, ¿no? La magia y todo eso. Como eres tan... especial...

—¡Sara! —dijo Raúl.

Emma y su padre intercambiaron una mirada. La de Emma era de preocupación, la de su padre era más bien de tristeza.

Sara se encogió de hombros y miró descaradamente a su alrededor.

—¿Qué pasa? Si ella misma lo dice... Y hablando de eso, ¿dónde están tus tías, esas que son hadas o brujas o no sé qué? ¿No han llegado todavía?

Emma abrió la boca para contestar, pero su padre se le adelantó.

—Sara... te llamas Sara, ¿no? Esto no es un juego ni una broma, y si te ha dado esa impresión, te has equivocado. Emma os ha pedido ayuda porque os necesita, pero si solo has venido a reírte de nuestros problemas...

—Déjala, papá —interrumpió Emma mirando a Sara—. Por favor, quédate. Pronto conocerás a mis tías.

—Pero antes, la merienda —dijo Julio—. He hecho todo lo posible, teniendo en cuenta que no sé mucho de fiestas infantiles. La última vez que tuvimos una aquí fue... ¿cuántos años tenías, Emma? ¿Siete? Tu madre ya estaba enferma, pero se levantó de la cama para colgar globos de colores por toda la casa.

—Sí, lo recuerdo —murmuró Emma—. Fue una fiesta estupenda.

—Esta también va a serlo, ya lo verás —dijo Luz sonriendo forzadamente—. Estamos muy contentos de que nos hayas invitado.

Emma le devolvió la sonrisa.

—Venid conmigo —dijo—. A mi padre le va a dar algo si no nos comemos lo que ha preparado.

Siguieron a Emma hasta la cocina, que era tan moderna y amplia como el resto de las habitaciones. A un lado, bajo la ventana, había una mesa cubierta con un mantel de fiesta y platos y vasos de cartón de

colores. En el centro de la mesa se alineaban varias bandejas repletas de sándwiches, cruasanes rellenos, boles de de nachos, palitos de queso y patatas fritas. Detrás, en la barra del desayuno, podían verse botellas grandes con refrescos de todos los colores imaginables. Incluso había una bebida isotónica de frambuesa.

Los chicos se sentaron a la mesa, cohibidos. Julio empezó a preguntarles qué querían de beber y a llenarles los vasos.

—Hay gratinado de pasta en el horno, ahora lo traigo. No quería que os quedaseis con hambre... Y de postre, tarta y helado. Os gusta el helado, supongo. He traído un montón de sabores, por si acaso: fresa, chocolate, plátano, café, mango... Hasta turrón.

—No sé si vamos a poder comer tanto —dijo Raúl—. Pero todo tiene muy buena pinta.

Empezaron a comer en medio de un incómodo silencio. Julio los observaba de pie, apoyado en la encimera. Aunque una sombra de sonrisa danzaba aún en sus labios, tenía el rostro crispado. Parecía triste y nervioso al mismo tiempo.

Entre bocado y bocado, Raúl observaba con disimulo el perfil pálido y delicado de su anfitriona. Ella también parecía triste, y se notaba que estaba comiendo sin ganas. Masticaba interminablemente cada aceituna, cada patata frita... Y a cada momento sus ojos se desviaban hacia la oscuridad de la ventana.

—Esta casa es muy especial —dijo Guille con la boca medio llena—. Por fuera parece una ruina, y por dentro...

—Lo sé. He intentado arreglarla un montón de veces, pero al final, por una cosa o por otra, siempre he tenido que dejarlo —explicó Julio—. Está catalogada como monumento artístico, y hacen falta un montón de permisos para cambiar cualquier cosa, aunque sea un detalle. Pertenecía a mi mujer, y eso nos ha traído algunos problemas. Sus hermanas... ellas no quieren que se toque nada. Especialmente el jardín... Ni siquiera me dejan cortar el césped.

—Pero si la casa no es suya, no tienen ningún derecho a meterse, ¿no? —observó Luz con simpatía.

Julio dejó escapar una carcajada breve y amarga.

—¿Derecho? No creo que ese concepto entre en su vocabulario. Son un tanto... especiales... Pronto lo vais a poder comprobar.

—Entonces ¿es verdad? —preguntó Sara, con el tenedor de plástico suspendido a escasos centímetros de su boca—. ¿Son brujas?

—Si por bruja te refieres a una anciana con verrugas en la nariz y una escoba en la mano, no, no son brujas —replicó Emma en tono cortante—. Son algo mucho más... inquietante.

—No entiendo —murmuró Luz. Parecía irritada, de pronto—. Si es una broma, me parece de muy mal gusto. Y que un adulto se preste a esto...

—Yo sí lo entiendo —dijo Sara, mirando al padre de Emma con expresión acusadora—. Lo han preparado todo para vengarse, ¿es que no lo veis? Está claro como el agua. Supongo que no hemos sido muy amables con esta... lunática... y ella ha convencido a su padre para montar este número e intentar asustarnos.

Emma se encaró con ella.

—Tú sí que eres una lunática. ¿De verdad crees que me tomaría tantas molestias para vengarme de ti? No sois tan importantes, ni tú ni tus amigas. ¿Crees que tus comentarios y tus burlas me hacen sentir mal? Me resbalan. En serio, tengo problemas bastante más graves.

—Sí que los tienes. Tu cabeza, que no funciona bien...

—Chicas, basta —Julio miró a Sara con el ceño fruncido—. La cabeza de Emma funciona perfectamente, y lo que está diciendo no es ninguna tontería. Lo creáis o no, nos estamos arriesgando mucho trayéndoos hoy aquí. A ellas no les gustan los intrusos, son muy desconfiadas. No sabéis el trabajo que me ha costado convencerlas de que os dejasen estar presentes.

—Pues por mí se lo podía haber ahorrado, de verdad.

—No lo hago por ti. No lo hago por ninguno de vosotros, sino por mi hija. Intenté mantenerla al margen de todo esto, pero no ha habido forma. Ellas son poderosas, tienen sus métodos para conseguir lo que quieren. Creen que Elena, mi mujer, jugó con ellas, que les arrebató algo que les pertenecía. Querían llevarse a Emma, pero Elena se lo impidió. Las obligó a firmar un trato: esperarían a que Emma cumpliese trece años, y entonces ella misma decidiría su destino. Hay que decir que han cumplido su parte... hasta cierto punto.

—Pero no entiendo nada. ¿Por qué querían llevarse a Emma? —preguntó Raúl—. ¿Y adónde?

—Pues... A su mundo. Ellas son *dryds,* criaturas de la noche, seres mágicos para quienes el tiempo no transcurre a la misma velocidad que para nosotros. Elena también lo era... hasta que eligió volverse humana para estar conmigo. Nunca me lo perdonaron. La perdieron por mi culpa... Y ahora quieren arrebatarme a Emma.

—Pero ella... ella no es...

Luz no fue capaz de terminar la frase, aunque todos entendieron lo que quería decir.

—Sí lo es. Es hija de una *dryd,* y eso significa que pertenece a su mundo. Pero también es humana... Las dos naturalezas coexisten dentro de ella, y ha llegado el momento de que elija una.

—¿Hoy? ¿En esta fiesta? —preguntó Luz.

—Sí. Ellas la dejarán en paz si demuestra que su parte humana es más poderosa que su parte inmortal.

—El problema es que no estoy segura de que sea así —observó Emma con un hilo de voz.

Todos se volvieron a mirarla.

—¿Por qué dices eso? Está claro que eres humana —dijo Raúl con calor—. ¡No pueden haberte convencido de que no lo eres!

—No es tan sencillo. Las *dryds* y los humanos se parecen en muchas cosas: en el aspecto físico, en sus movimientos y sus expresiones... Pero existen algunas diferencias, y es lo que ellas quieren poner a prueba hoy.

—Sí: el lenguaje —confirmó Julio en tono cansado—. Las *dryds* conocen el lenguaje humano, pero nunca llegan a dominarlo plenamente, y es lo que más envidian de nosotros. Llaman a nuestros idiomas «la magia de los mortales», y darían cualquier cosa por poseer esa magia.

—Son capaces de todo por llegar a controlar algo de ese poder —continuó su hija—. Las *dryds* son criaturas extrañas. Capaces de lo mejor y de lo peor.

—¿Quieres decir... que son malvadas? —quiso saber Raúl.

Emma se encogió de hombros.

—No se las puede juzgar con criterios humanos —explicó su padre—. Hacen cosas maravillosas, como fabricar joyas mágicas hilando la luz de las estrellas. Pero también hacen cosas realmente crueles. Dominan el poder de las sombras. Si se sienten amenazadas por un mortal, pueden lanzar sobre él ese poder, atenazarle con su negrura e infundirle un gran terror.

—No hay nada que les disguste más que la luz artificial —continuó Emma—. Odian nuestras lámparas, porque disuelven la oscuridad que ellas necesitan para existir. Siempre que pueden las destrozan. En cambio, aman nuestras palabras, nuestros juegos de lenguaje, los dichos, trabalenguas y refranes. Ellas no son capaces de inventarlos, pero sí pueden robárselos a los mortales. Y cuando roban un poema, una adivinanza o un trabalenguas, lo repiten sin descanso mientras hilan la luz de las estrellas.

—¿Y tú te pareces a ellas? —preguntó Guille, mirando a Emma con curiosidad—. ¿En qué?

Ella sonrió con timidez.

—En muchas cosas. Para empezar, veo perfectamente en la oscuridad. No he aprendido a hilar la luz de las estrellas, pero puedo capturarla en mi piel. Sin embargo, hoy tengo que hacerles creer que soy mucho más humana que *dryd,* porque realmente es así. Solo que las pruebas... No estoy segura de poder pasarlas.

—¿Qué clase de pruebas son? —preguntó Sara, intentando que su voz no reflejase el miedo que empezaba a sentir.

—Quieren que les demuestre que puedo manejar el lenguaje como un mortal. Serán cuatro pruebas relacionadas con las palabras. Si las paso, me dejarán seguir viviendo con mi padre. Si no...

—¿Y por qué no vas a pasarlas? —dijo Luz con brusquedad—. Eres como cualquiera de nosotros. En clase sacas buenas notas...

—Sí, pero no soy buena con el lenguaje, no soy buena jugando con él ni inventándome cosas con las palabras. En eso he heredado la torpeza de las *dryds.* Pero ellas no deben enterarse.

—Hay algo que mis tres cuñadas no saben —intervino Julio—. Ellas se encuentran tan alejadas de los seres humanos corrientes, que ni siquiera usando su magia pueden leer nuestros pensamientos. Pero Emma es distinta en eso... igual que lo era su madre. Como son *dryds* y humanas a la vez, pueden captar y entender los pensamientos de los demás. Y eso es lo que necesitamos utilizar esta noche. Quizá Emma no pueda resolver sola las pruebas que van a plantearle sus tías, pero vosotros la ayudaréis. Ellas no permitirán que la acon-

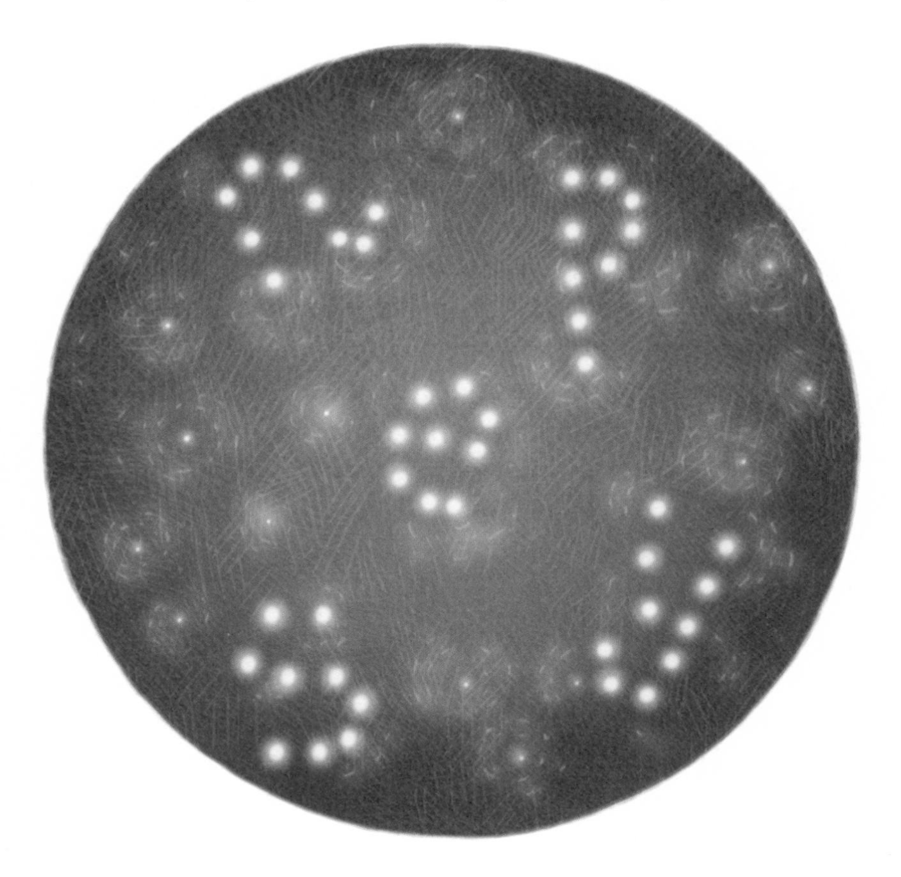

sejéis directamente, pero no hará falta. Bastará con que penséis la solución. Emma captará vuestro pensamiento y dirá la solución en voz alta.

—Un momento: ¿eso es verdad? —Sara se volvió indignada hacia Emma y la miró como si quisiese asesinarla—. ¿O sea que todo este tiempo has estado leyendo mis pensamientos sin que yo me enterase? Eso tiene que ser ilegal. Pienso denunciarte al Consejo Escolar por ladrona de ideas. Espía...

—Eh, oye: nada de lo que yo hago es ilegal, que quede claro —replicó Emma encarándose con ella—. Lo que hacéis tú y tus amigas cuando os burláis de mí sí lo es, así que, si alguien tiene que denunciar algo ante el Consejo Escolar soy yo, y no tú. Además, puedes estar tranquila, porque tus pensamientos no me interesan tanto como para meterme en ellos a cada momento. Y también te digo otra cosa: es una idiotez que te empeñes en fingir que eres como ellas; como Bea y las otras. Te esfuerzas mucho por parecer tan tonta como las otras *barbies,* pero en realidad tú no eres así. El problema es que tienes miedo de admitirlo.

Sara se había puesto tan roja como la grana, aunque ni ella misma sabía si era por irritación o por pura vergüenza.

—Tú no sabes nada. No eres nadie para decirme cómo tengo que vivir mi vida. ¡Por favor! ¡Ni siquiera eres humana!

—Puede que no sea del todo humana, pero a pesar de eso tengo más sentimientos que tú.

—Chicas, dejadlo —dijo el padre de Emma interponiéndose entre las dos y mirando a su hija con seriedad—. Al menos por esta noche, os pido que dejéis de lado vuestras... diferencias. Ya habrá tiempo de aclarar todo eso más tarde. Ahora debemos concentrarnos en lo que tenemos por delante. Ellas están en el jardín, esperando. Decidme que puedo contar con vosotros. Decidme que vais a ayudar a Emma.

—¿Y por qué no la ayuda usted? —replicó Sara de mal humor—. También es humano, ¿no?

Julio sonrió débilmente.

—Ojalá pudiera. Llevo demasiados años enfrentándome a ellas, luchando por mantenerlas alejadas de Emma y de la casa. He tenido que pagar un precio por ello: las palabras... Yo solía disfrutar jugando con ellas, inventándome historias, poemas... Pero ellas me las han arrebatado. No de golpe, ha sido poco a poco. En cualquier caso, el resultado es el mismo... Yo ya no estoy en condiciones de ayudar a Emma.

—Lo que no entiendo es que Elena... su mujer... ¿cómo permitió esto? —preguntó Luz—. Ella también era una *dryd,* ¿no? ¿Por qué no usó sus poderes para proteger a su hija, y a usted?

—Ella renunció a sus poderes cuando se enamoró de mí, para poder llevar la existencia de una simple mortal. Al menos, en su lecho de muerte les arrancó una promesa: la promesa de que le darían a Emma la oportunidad de elegir su destino cuando cumpliese los trece años. Y la están cumpliendo, a su manera.

—Entonces, Elena no era inmortal —susurró Raúl.

—Por mi culpa. Nunca me perdonaré lo sucedido —contestó Julio hundiendo el rostro entre las manos—. Si no fuera por mí, ella no habría enfermado. Aún estaría viva... Todavía a veces tengo la impresión de que una parte de ella sigue con nosotros, animándonos, acompañándonos. Pero es una presencia tan tenue, que cuando intento retenerla se me escapa entre los dedos y es como si nunca hubiese estado aquí. A veces creo que todo es producto de mi imaginación. En realidad la hemos perdido del todo, porque si no fuera así ahora estaría con nosotros, intentando ayudar a nuestra hija.

—A lo mejor Elena habría preferido que ella se fuera con sus tías —apuntó Sara—. Al fin y al cabo, es mejor ser inmortal, y tener magia, ¿no? Es mucho mejor que una vida de persona corriente.

—Elena no lo veía así. Ser una *dryd* tiene muchas ventajas, pero también es mucho lo que se pierde: los sentimientos humanos, por ejemplo. Ni siquiera los comprenden. No sufren como los simples mortales, pero tampoco disfrutan como nosotros. Elena eligió abandonar a las *dryds,* y creo que habría deseado lo mismo para Emma.

—Yo también. Estoy segura, papá —dijo Emma muy seria—. Pero ella no está aquí hoy para ayudarme. Solo estáis vosotros. ¿Me ayudaréis?

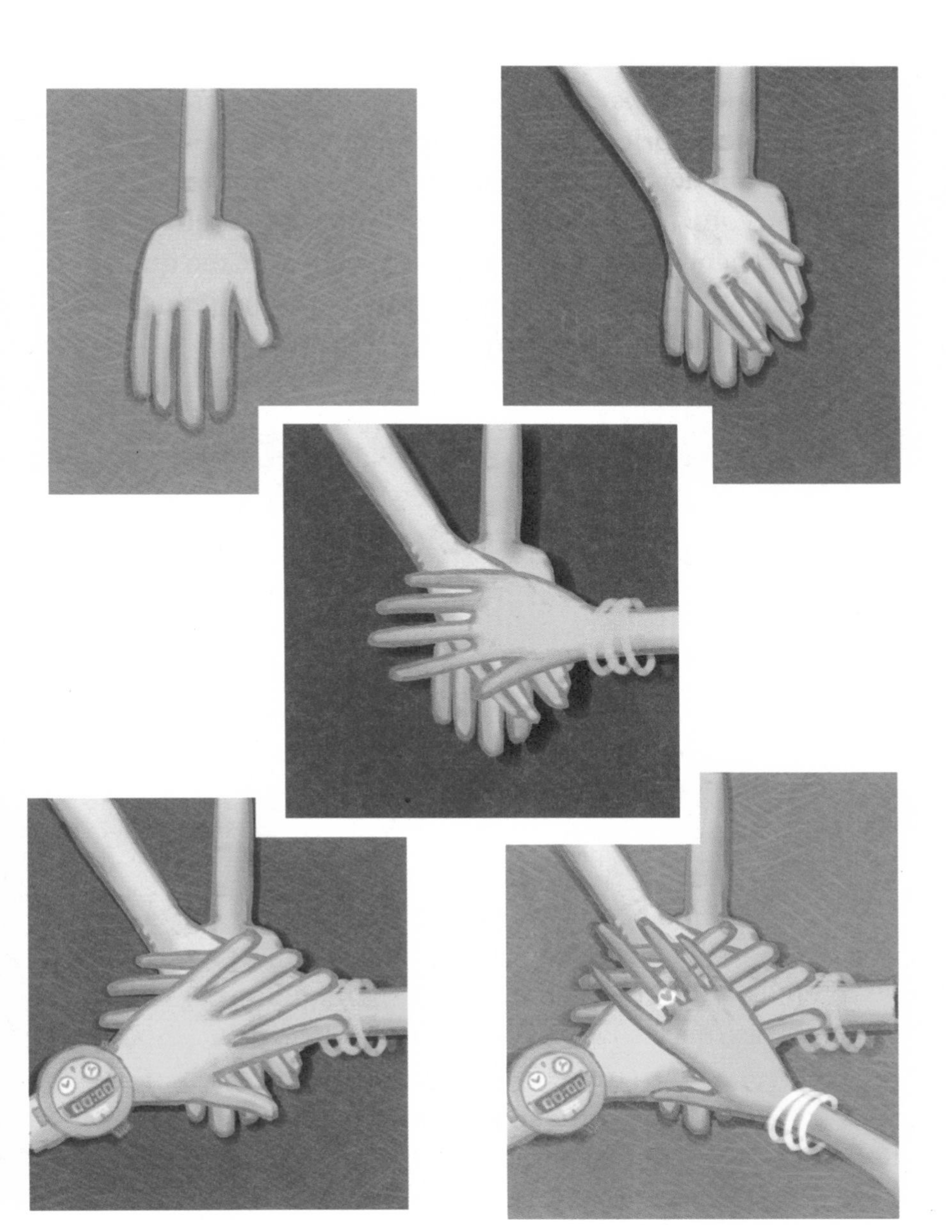

Sus compañeros se miraron unos a otros. Curiosamente, la primera en reaccionar fue Sara.

—¿Estás de broma? Claro que te ayudaremos. No quiero que te conviertas en una criatura rara que anda escondiéndose de noche por los jardines... Creo que no volvería a pegar ojo por las noches si por mi culpa terminases siendo una *dryd.*

Capítulo 5

Al salir al jardín, Raúl se estremeció, y no solo por culpa de la húmeda brisa que le azotó la cara. Las siluetas de los árboles, más oscuras aún que el cielo estrellado, rodeaban la vivienda como gigantes amenazadores. Todas las persianas de la casa estaban bajadas, por lo que ni un hilo de luz se filtraba en la salvaje y descuidada extensión de terreno que las *dryds* habían convertido en su hogar. Solo la luz de la luna, semioculta detrás de una masa de nubes, iluminaba tenuemente el césped sembrado de malas hierbas.

Emma los guio por un sendero de arena pálida hasta el centro del jardín, donde se oía el rumor de una fuente. Era una pila de mármol situada bajo una escultura de falsas rocas, sobre las que caía el agua formando una cascada artificial.

A escasa distancia de la fuente, rodeándola, había tres estatuas de piedra muy blanca. Sus pedestales estaban agrietados, y exhibían manchas de verdín. Sin

embargo, las esculturas parecían recién pulidas, como si acabasen de salir del taller de un artista.

Los rayos lunares bañaban las tres imágenes, que correspondían a tres mujeres de gran belleza. Las tres llevaban túnicas ceñidas a la cintura que dejaban uno de sus hombros al descubierto. La que estaba a la izquierda de la fuente tenía los cabellos de mármol recogidos en un moño alto sobre la nuca. La segunda, frente a la falsa cascada, llevaba el pelo suelto, y la tercera exhibía una complicada trenza que caía sobre uno de sus hombros, por encima de la túnica.

Sus rostros eran muy bellos. Sus ojos vacíos, sin expresión, parecían clavados en la fuente, y sus labios de piedra sonreían imperceptiblemente. Las tres proyectaban largas sombras sobre la descuidada hierba, sombras tan inmóviles y sólidas como si también estuviesen talladas en piedra, en piedra volcánica, rugosa y oscura.

—Aquí estoy —dijo Emma. Se había situado en el centro del círculo que formaban la fuente y las tres estatuas, algo separada de todos los demás, y aunque la voz le temblaba un poco, miraba a la escultura de los cabellos sueltos con aire desafiante—. He venido como queríais, y estoy dispuesta a enfrentarme a vuestras pruebas.

En respuesta a sus palabras, la brisa agitó la hierba, y fue como si arrancase las sombras del suelo, haciéndolas flotar desprendidas de los pedestales alrededor de la niña.

Raúl sintió que el corazón se le desbocaba cuando una de las sombras, la de la trenza, habló.

—Te esperábamos. Llevamos muchos años esperándote, y por fin ha llegado el momento. Emma, querida, por fin... Por fin vas a venir con nosotras.

Durante unos instantes no se oyó nada más que el rugido del viento entre las ramas de los árboles.

—No es eso lo que acordamos —dijo Julio, y carraspeó para aclararse la garganta, o quizá para infundirse valor—. Ella tendrá su oportunidad, como dijimos. Se lo prometisteis a Elena. Eria, Bela, Iduna... Tenéis que cumplir vuestra promesa.

Las otras sombras unieron sus murmullos a la de la primera. Una de ellas, la de la estatua de los cabellos sueltos, se deslizó bruscamente por el suelo hasta cubrir por entero el cuerpo de Julio.

—Sabemos lo que es una promesa y cumpliremos lo que dijimos —susurró con una voz que parecía hecha de ráfagas de viento deshilachado—. Pero Elena estaba débil y enferma, no sabía lo que hacía. Emma se merece algo mejor que lo que tuvo su madre. Una existencia libre de sufrimiento y de enfermedades...

—Pero también libre de alegrías. No es eso lo que ella quiere —insistió Julio.

—No, no lo es —confirmó la niña.

Las sombras se agitaron como sacudidas por una violenta y silenciosa risa. Después se deslizaron rápidamente en dirección a Emma y empezaron a danzar en corro a su alrededor.

—No puedes rechazar lo que no conoces —susurraron las tres al unísono con sus voces inhumanas—. Ven con nosotras, aprende lo que nosotras sabemos. Luego, si quieres, podrás volver. Pero no querrás...

—Lo siento, no puedo irme con vosotras. Lo siento mucho.

—Solo deseamos lo mejor para ti —sisearon las voces.

—No; mi madre quería lo mejor para mí. Vosotras no podéis comprenderme, no sois humanas.

—Te ofrecemos una existencia hermosa, el poder de la magia de las sombras, la belleza de la luz de las estrellas. ¿Qué más puedes desear?

—Deseo muchas cosas: viajar, leer historias, ver películas, conocer a toda clase de gente, tener amigos, aprender a bailar, y a cocinar, y a conducir, y miles de cosas más.

—Son cosas estúpidas. Cosas humanas.

—Para mí valen más que todo vuestro poder. Y para mi madre también. Ella quería que me quedase con mi padre. Prometisteis abandonar nuestra casa si pasaba las pruebas. Prometisteis que me dejaríais elegir.

Las sombras se detuvieron con la misma brusquedad con la que habían empezado a moverse. Volvían a parecer masas sólidas, cristales negros, más negros que la propia noche.

—Está bien —dijeron las voces—. Pero ellos no deberían estar aquí. Los ojos de los mortales corrientes no deberían ver lo que sucede en este jardín.

—Os pregunté si podía contar con el apoyo de mis amigos y me dijisteis que sí. Os dije lo de la fiesta de cumpleaños y aceptasteis.

—Pero las pruebas debes pasarlas tú. Ellos no pueden hablar —dijeron las voces—. No pueden prestarte sus palabras.

«Pero sí nuestros pensamientos», se dijo Raúl. Emma se giró hacia él y asintió casi imperceptiblemente. Aunque no había pronunciado ni una sola palabra, le había oído.

Una de las sombras, la que correspondía a la estatua del pelo recogido, se acercó a Emma y la envolvió con suavidad.

—Piensa lo que vas a hacer —murmuró con su voz de viento—. Eres una *dryd,* hija de la noche. No sabes lo hermoso que es tomar entre tus dedos la luz de las estrellas e hilar con ella objetos tan delicados que apenas pueden imaginarse. ¿Has visto alguna vez de dónde la sacamos?

—Bela, no intentes confundirla —dijo Julio—. Respeta la voluntad de Elena, si es que hay algo dentro de ti que se asemeje al cariño humano.

—¿Crees que las *dryds* no sabemos lo que es el cariño? ¿Crees que no tenemos sentimientos? Permanecí encerrada en la piedra durante tres meses enteros después de la muerte de mi hermana. Sin ver, sin oír, sin ejercer mi poder sobre las sombras. ¿Crees que eso no es tristeza?

—Sé que a vuestra manera podéis sentir, pero no podéis entender las complejidades del corazón de un mortal.

—Ella no es solo humana. Es también una de las nuestras. Conoce bien su corazón mortal. ¿Por qué no le permites que conozca también su lado inmortal? ¿Es que tienes miedo?

—Yo... se lo he contado todo. Sabe todo lo que necesita saber.

—Una cosa es saberlo y otra cosa es vivirlo. Quiero que lo veas, Emma. Quiero que veas el pozo de las sombras —insistió la voz, acariciadora y melancólica como el rumor del mar—. Sin haberlo visto no puedes decidir.

Emma miró indecisa a su padre.

—Está bien —dijo él—. Si Emma quiere, os acompañaremos.

—Sí. Creo que quiero verlo —dijo la niña en voz baja.

Las sombras entrelazaron las siluetas de sus manos y flotaron delante de Emma en dirección a un grupo de árboles que alzaban sus copas justo detrás de la casa. Raúl caminaba junto a Luz, inmediatamente después de Emma y de Julio. Guille los seguía, y Sara cerraba la marcha.

—No estoy segura de querer verlo —dijo con voz temblorosa—. Sabía que venir aquí no era buena idea.

Ninguno de sus compañeros le contestó, porque la verdad era que todos se sentían bastante asustados.

Las sombras se detuvieron bajo los árboles y rodearon lo que parecía ser el brocal de un pozo de piedra.

—¿Desde cuándo está esto aquí? —preguntó Emma acercándose con paso temeroso—. No lo había visto en mi vida.

—Es el pozo de las estrellas, donde apresamos su luz —explicó la sombra de los cabellos sueltos—. Aquí era donde tu madre se reunía con nosotras en las noches sin luna. Una parte de ella todavía amaba este lugar. Una parte de ella nunca dejó de ser una *dryd.*

—Sí, eso es cierto —murmuró Julio—. Lo que aún no puedo aceptar es que esa parte también desapareciera, junto con la otra. Sé que me odiáis por muchas razones, pero por la memoria de Elena, ¿no podríais decirme adónde fue su espíritu inmortal cuando ella murió? A veces me parece sentir su presencia, dentro de la casa, cuando paso delante de una ventana o me miro en un espejo.

—No nos lo preguntes a nosotras —respondió Iduna, la sombra de la trenza—. Aunque quisiésemos, no podríamos darte una respuesta. Emma, acércate, no tengas miedo. Mira dentro del pozo. ¿Qué ves?

La muchacha se asomó unos instantes. Cuando alzó la cabeza su rostro se había transformado. Parecía irradiar asombro, felicidad. Una serena sonrisa iluminaba su cara.

—Las he visto. Es como un planetario en miniatura, solo que mejor. Todas las estrellas parecen estar ahí dentro, en el reflejo del agua. Al alcance de la mano... ¿Pueden ellos mirar?

—No —dijeron las tres sombras a coro—. Los ojos de los mortales no saben comprender esa luz.

La sombra de la trenza acarició con delicadeza el brazo derecho de Emma.

—Ahora ya sabes lo que te ofrecemos. ¿Puedes imaginar la felicidad de entrelazar tu existencia con esa luz maravillosa y llena de magia? Nada de lo que puedan darte los humanos se puede comparar con esto.

—Es muy hermoso, Iduna —susurró Emma—. Y te agradezco que me lo hayas enseñado.

Las sombras volvieron a rodearla. Casi podía notarse su respiración mágica, hecha de brisa y de oscuridad.

—Entonces, ¿te quedarás con nosotras? —dijeron las tres voces a coro.

Emma meneó la cabeza con una sonrisa triste en los labios.

—No puedo. Mi sitio está con mi padre, en el mundo de los mortales. Lo siento, está decidido.

Entonces, entre las ramas de los árboles y en la alta hierba que crecía alrededor del pozo resonaron mil delicados suspiros que poco a poco fueron uniéndose para componer las tres voces de las sombras.

—Está bien. Tú lo has querido. Empecemos con las pruebas... Y que el destino decida lo que ha de pasar.

Capítulo 6

—La primera prueba es la mía —murmuró Eria, la sombra de los cabellos sueltos, mezclando su voz con la del viento—. Uno de los dones más extraños de los mortales consiste en que pueden heredar la sabiduría de sus antepasados a través de unas curiosas fórmulas que se transmiten de padres a hijos. Refranes, los llaman...

Los ojos de Raúl se encontraron con los de Luz, y no hizo falta que se dijeran nada para que ambos supiesen lo que el otro estaba pensando. Los refranes eran la especialidad de Luz: tenía una memoria prodigiosa, y una abuela con la que pasaba mucho tiempo y que siempre le contaba cosas del pasado. Eso la había convertido en una especie de refranero ambulante... La mitad de las veces, Raúl no sabía qué querían decir los dichos que Luz repetía en clase. Eran frases de estilo antiguo, a veces en verso, con frecuencia graciosas. Pero el significado no siempre estaba claro... al menos para él.

Para Luz, sin embargo, los refranes no parecían tener secretos. A su abuela le gustaba explicarle lo que significaban, y quizá por eso los recordaba tan bien, porque los entendía.

La sombra de Eria regresó flotando a su pedestal junto a la fuente, y todos las siguieron. Cuando se unió a los pies de la estatua, fue como si un débil aliento de vida animase sus labios de mármol, acentuando la curva de su sonrisa. Sin embargo, cuando la *dryd* habló de nuevo su voz sonó muy lejos de su boca, en el oído mismo de cada uno de los presentes.

—A veces, esas valiosas frases heredadas han caído en nuestras manos. Nos las aprendemos de memoria y las guardamos como tesoros, pero no siempre sabemos lo que significan. Y otras veces lo único que tenemos es un fragmento de la frase antigua. Nos gustaría completarla... Emma, demuéstranos que puedes hacerlo y aceptaré que eres más humana que *dryd.*

Las otras dos sombras asintieron junto a sus pedestales, mientras sus respectivas estatuas permanecían completamente inmóviles.

—Esta es la prueba —prosiguió la voz de Eria—: cinco fragmentos de refranes te diré, y tú deberás completarlos y explicarnos su significado. ¿Estás lista?

Emma asintió con la cabeza. Raúl cruzó los dedos dentro de los bolsillos de su pantalón mientras miraba fijamente el rostro burlón de la estatua de Eria. Esperaba que Emma lograse conectar con los pensamientos

de Luz y escuchar mentalmente sus respuestas... Ella era quien mejor podía ayudarla.

—Muy bien —dijo la voz, resonando de pronto a la vez entre las ramas de todos los árboles que los rodeaban, como aleteos de mil pájaros invisibles—. Este es el primero: *Agua pasada...*

Emma tardó unos segundos en contestar.

—No mueve molino —dijo finalmente, mirando a Luz con cara de agradecimiento.

Raúl pensó que Eria se daría cuenta de lo que estaba pasando por la expresión de Emma, pero no fue así. Por lo visto las *dryds* no eran muy buenas interpretando las caras de los humanos. Mejor... porque la prueba no era fácil. Aquel primer refrán... Raúl recordaba haberlo oído alguna que otra vez, pero no se sabía la segunda parte.

—Quiere decir que las cosas del pasado hay que dejarlas atrás, que ya no importan ni influyen en el presente —explicó Emma a continuación.

Hablaba muy despacio, como si estuviese traduciendo los pensamientos de la mente de Luz a palabras. Era asombroso que ni Eria ni las otras *dryds* se diesen cuenta.

Eria emitió una risilla incómoda que se multiplicó en un eco de carcajadas cada vez más apagadas y distantes.

—Qué graciosos son los humanos. «Agua pasada no mueve molino». ¿Quién iba a pensarlo? Bien, vamos con el segundo: *Quien siembra vientos...*

—*Recoge tempestades* —terminó Emma después de un breve silencio—. Sí... Significa que si haces algo malo, aunque no te parezca muy importante, con el tiempo provoca consecuencias graves.

Raúl se estremeció al notar que las cejas de mármol de la estatua se arqueaban levemente. O esa impresión le dio... Era como si Eria esperase alguna explicación más, como si no hubiese entendido del todo lo que había dicho Emma.

—Por ejemplo, pasa con los cotilleos —aclaró Luz con voz temblorosa—. Tú criticas a una amiga delante de una compañera. No tienes mala intención, solo lo haces por pasar el rato... Pero luego tu amiga se entera y te deja de hablar. La pierdes para siempre. Por una tontería terminas provocando un mal muy grande.

—Cállate, mortal. No necesito que tú me demuestres nada. Es Emma quien debe contestar —interrumpió la voz de Eria con irritación—. Más que el significado de esas extrañas frases, nos interesa oír cómo lo interpreta ella.

Luz asintió y bajó la cabeza, avergonzada. No volvería a abrir la boca en toda la noche, seguro.

—El tercer refrán que quiero que recuerdes es el siguiente: *Gato escaldado...*

Emma empezó a tartamudear.

—*Gato escaldado...* gato escaldado... —miraba a Luz con ojos ansiosos, pero la respuesta no parecía llegarle—. Sí, es un refrán muy famoso —comentó, seguramente para ganar tiempo—. Todo el mundo lo conoce. *Gato escaldado... del agua fría huye* —terminó por fin con una tenue sonrisa—. Sí, quiere decir... quiere decir que cuando alguien ha tenido una mala experiencia, queda escarmentado, y luego evita cualquier situación parecida, incluso aunque no sea peligrosa.

—Ya. Te explicas muy bien —murmuró la voz de Eria, que de pronto sonaba más humana—. De acuerdo, pasemos al siguiente: *Ojos que no ven...*

—Ese me lo sé, *¡corazón que no siente*! —gritó Emma entusiasmada.

Las tres sombras se giraron de repente hacia ella.

—¿Qué quiere decir «ese me lo sé»? ¿En qué se diferencia de los otros? —preguntaron las tres a coro.

—Quiere decir... quiere decir que ese refrán me gusta especialmente —contestó Emma sonriendo con torpeza—. Por su significado. Significa que cuando algo pasa lejos de ti, no te emociona ni te conmueve tanto como las cosas que tú vives directamente. Una guerra, por ejemplo. Si vieses a los heridos con tus propios ojos, sufrirías mucho. Pero los ves por la tele y, aunque te da pena, no es lo mismo.

—¿Por qué no es lo mismo? —preguntó la voz de Eria.

—Pues porque...

—Déjalo, Emma. No intentes explicárselo, no lo entendería —dijo Julio con voz muy seria—. Las *dryds* no entienden nuestros sentimientos.

—Pero mamá...

—Mamá era distinta de ellas. Además, renunció a sus dones para volverse humana. Ellas nunca lo harían.

Un rumor amenazante recorrió las copas de los árboles y agitó la hierba alrededor de las estatuas.

—¿Te atreves a juzgarnos, mortal? Tú no sabes nada de nosotras —dijeron las voces de las sombras—. Nuestra sabiduría no es menor que la de los mortales, solo diferente. Y además, estás quebrantando nuestras normas. Podríamos interrumpir la prueba ahora mismo...

—Sí, eso es lo que os gustaría, ¿verdad? —dijo Julio desafiante—. Utilizarme a mí como excusa para parar todo esto, porque no está saliendo como vosotras queréis.

La hierba comenzó a agitarse violentamente, azotando los tobillos de los niños.

—¿Crees que nuestra palabra vale menos que la de los humanos? Calla, mortal, y deja de provocarnos, si no quieres perjudicar a tu hija. Emma, este es el último fragmento que debes completar: *Más vale ser cabeza de ratón...*

—*Que cola de león,* contestó Emma después de un breve silencio.

Las sombras se removieron, inquietas.

—¿Qué significa ese extraño enigma? No lo entendemos. No tiene sentido.

—Significa que vale más ser uno de los mejores en un proyecto o una empresa modesta, que ser el menos importante en un proyecto o en una empresa muy grande y poderosa.

La explicación no pareció satisfacer demasiado a las *dryds,* porque de nuevo creció el rumor del viento alrededor de los niños.

—¿Eso es así para los humanos? ¿Por qué? ¿Por qué es mejor ser el primero en algo pequeño que el último en algo grande? —preguntó la voz de Eria.

—Tía... los refranes no son leyes, son solo tradiciones que recogen la sabiduría popular —explicó Emma en tono paciente—. No es obligatorio estar de acuerdo con lo que dicen. Yo por ejemplo creo que, en esto de la cabeza del ratón y la cola del león, depende de los casos. Por ejemplo, ¿qué es mejor para un atleta, participar en los Juegos Olímpicos y quedar el último o competir solo en su pueblo y ganar todas las carreras? A mí me parece mejor lo primero, sinceramente.

Las sombras se agitaron, perplejas.

—Pues yo lo que creo es que más vale ser cabeza de león que cola de ratón —dijo Sara soltando una risita nerviosa—. Eso lo tengo clarísimo.

—¿Qué significa? —preguntó Eria.

Emma suspiró.

—Que vale más ser el primero de algo importante que el último de algo no importante —aclaró su padre—. Pero eso es evidente. No hace falta un refrán para recordarlo.

Las sombras suspiraron todas a la vez.

—De acuerdo —dijo la voz de Eria—. Supongo que has pasado mi prueba. Y debo cumplir mi palabra...

La sombra de la *dryd* se deslizó hacia su pedestal, y entonces ocurrió algo asombroso. Al fundirse la sombra con el mármol, la estatua empezó a transformarse, a teñirse de suaves colores, y a moverse... ¡había cobrado vida!

Todos observaron boquiabiertos la esbelta figura de Eria, convertida en una mujer de carne y hueso con una ligera túnica blanca que caía formando largos pliegues hasta sus tobillos. Su rostro sonrosado apenas recordaba en nada la blancura perfecta de la piedra, y sus cabellos rubios se agitaban al viento, despeinados y libres. Sus ojos azules tenían un brillo malicioso.

—¡Tía! —exclamó Emma asombrada—. ¿Cómo has hecho eso?

Las sombras de las otras dos *dryds* rieron suavemente, mientras Eria cogía de la mano a su sobrina con decisión.

—Podemos hacer esto y mucho más cuando recibimos la energía del lenguaje humano. Y tú también podrás, Emma. Todavía estás a tiempo de unirte a nosotras, y para eso no tendrás que someterte a ninguna prueba. Te aceptaremos como una *dryd* más, porque eres una *dryd,* a pesar de la prueba que acabas de superar. No creas que tu lado humano nos molesta, al contrario: te enseñaremos a utilizarlo para aumentar tus poderes. Y quizá también los nuestros...

—Te lo agradezco mucho, tía Eria, pero ya he elegido lo que quiero ser. Quiero ser como ellos, como mi padre. Quiero ser humana.

Eria suspiró.

—Está bien. En ese caso, vamos con la segunda prueba. Aunque sospecho que esta vez no lo vas a tener tan fácil, ¡ya lo verás!

Capítulo 7

Eria condujo a su sobrina hasta los pies de la estatua de su hermana Bela. La sombra de la estatua se desprendió entonces del pedestal y, deslizándose hacia Emma, alzó una mano de oscuridad para acariciarle suavemente el cabello.

—Pequeña Emma, lo que has hecho en la prueba anterior ha sido asombroso —dijo una voz que parecía brotar a la vez de la estatua y de su sombra—. Pero me temo que esta prueba exige habilidades muy distintas. La capacidad de los mortales para inventar adivinanzas siempre nos ha fascinado.

—Sí, ¿cómo lo hacéis? —dijo Eria volviéndose rápida como un rayo hacia Raúl y los otros chicos—. ¿Os enseñan en esos colegios a los que vais?

—No todo el mundo se inventa adivinanzas. Igual que no todo el mundo se inventa refranes —explicó Julio—. La mayoría proceden de la tradición.

—Aun así... vosotros sabéis resolver esos enigmas. Casi todos los humanos saben —dijo la sombra de

Bela en tono de admiración—. Nosotras, en cambio... Atesoramos las viejas adivinanzas que hemos podido cazar al vuelo en las conversaciones humanas, pero no conocemos su solución. Y cuando, alguna vez, la oímos, a menudo ni siquiera la entendemos.

—De todas formas, tenemos una pequeña colección de adivinanzas sin solución. Sin respuesta... al menos para nosotras. Ahora veremos si a ti, como *dryd,* te sucede lo mismo.

—Estoy lista —dijo Emma, cruzando una mirada con Guille—. Cuando quieras.

Raúl comprendió que su amigo se había ofrecido para ser el ayudante de Emma en aquella prueba. Guille tenía un talento especial para deducir las respuestas de preguntas complicadas, siempre que fueran lógicas. Además, le encantaban los misterios... Si alguien podía enfrentarse con éxito a una adivinanza, era él.

—De nuevo cinco enigmas —dijo la voz de Bela—. Cinco adivinanzas sin respuesta. Danos tú esas soluciones, Emma, y habrás pasado la segunda prueba. Empezamos... La primera es la siguiente:

De bello he de presumir,
soy blanco como la cal,
todos me saben abrir,
nadie me sabe cerrar.
¿Qué es?

Raúl miró intrigado a Guille. Nunca había oído esa adivinanza, debía de ser muy antigua. Guille sonrió muy tranquilo, y casi al mismo tiempo Emma pronunció la respuesta.

—El huevo —dijo con voz firme—. Todo el mundo puede abrir un huevo, pero nadie puede cerrarlo.

Eria palmoteó encantada, mientras sus dos hermanas enredaban sus murmullos al rumor del viento.

—Muy ingenioso —admitió Bela—. Veamos si la segunda te parece tan fácil como la primera:

Yo tengo calor y frío,
y no frío sin calor,
y sin ser ni mar ni río,
peces en mí he visto yo.

Quizá fuera por culpa de los nervios, pero aquella adivinanza le pareció a Raúl más difícil todavía que la primera. Y aún se puso más nervioso cuando vio la cara de pasmo de Guille. Emma, con los ojos muy abiertos, miraba la estatua de su tía Bela sin pestañear. Estaba esperando una respuesta que no llegaba. Y pasaban los segundos...

—¿No lo sabes? —preguntó Eria sonriendo feliz—. Hermanas, ¡no lo sabe!

—No podéis juzgarla por un solo fallo —protestó Julio—. Hasta ahora lo ha acertado todo. Un fallo no es nada comparado con tantos aciertos...

—Tú no eres quien pone las reglas aquí, mortal —dijo Eria mirando a su cuñado con ojos llameantes—. Las reglas las ponemos nosotras. Un fallo es un fallo. Fin de la discusión. Y fin de...

—¡La sartén! —gritó Emma, interrumpiendo a su tía.

Todos, mortales y *dryds,* la miraron desconcertados. Excepto Guille, por supuesto... Era él quien había encontrado la respuesta, aprovechando el tiempo de la discusión.

—Claro —dijo Emma muy despacio, como si ella misma necesitase ir asimilando el significado de sus palabras—. Tengo calor y frío... ¡quiere decir que fríe! Y no frío sin calor, ¡no puede freír sin calor! Y sin ser ni mar ni río ha visto peces dentro de ella... ¡qué buena!

—Esta es muy diferente. Y aún más difícil, creo yo —dijo la voz de Bela desde los labios inmóviles de su estatua—. Escucha:

Vayas donde vayas
siempre lo verás,
por mucho que andes
nunca llegarás.

—Vaya adivinanzas tan raras —murmuró Sara, que estaba justo detrás de Raúl, estirando el cuello para no perderse ni un detalle de la escena—. ¿Por qué no nos preguntan esa de «oro parece, plata no es...»?

—El horizonte —dijo Emma en ese momento—. Lo ves por todas partes, pero nunca lo puedes alcanzar, siempre se va alejando por mucho que avances hacia él.

Esta vez, las *dryds* no respondieron al nuevo acierto de su sobrina con rumores o susurros mezclados con el viento. Se quedaron en el más profundo silencio.

—¿Qué pasa? ¿Se ha acabado la prueba? —preguntó Emma, sorprendida por la falta de reacción de sus tías.

—Aún quedan dos —dijo Eria con brusquedad—. Escucha la voz de mi hermana, escucha.

De la estatua de Bela y de su sombra brotaron las siguientes palabras:

Doce caballeros
nacidos del sol,
todos mueren antes
de los treinta y dos.

Guille intentó pensar deprisa. El doce es un número importante en muchos aspectos. Las horas del reloj, por ejemplo. O los meses del año... «Si mueren antes de los treinta y dos, quiere decir que mueren a los treinta y uno —se dijo mentalmente—. ¿Y quién muere a los treinta y uno o más joven? Doce caballeros... ¡Claro, son los meses!».

1
2
3
4
5
6
7
8
9
10
11
12
13
14
15
16
17
18
19
20
21
22
23
24
25
26
27
28
29
30
31

—Los meses del año —dijo Emma casi al mismo tiempo—. Está claro. Son doce, nacen del sol porque pertenecen al calendario solar, y mueren antes de los treinta y dos porque todos tienen o treinta o treinta y un días.

—Menos febrero, que tiene veintiocho —precisó Guille con gran seriedad.

De nuevo, las *dryds* guardaron en silencio. Eria estaba muy quieta, y su rostro se había puesto tan pálido que casi parecía de nuevo una estatua.

—Queda una, ¿no? —dijo Julio—. Venga, vamos... Terminemos con esto cuanto antes.

La sombra de Bela comenzó a cantar suavemente el último de los enigmas:

Adivina quién soy,
que cuanto más lavo
más sucia estoy.

Esta vez, Emma ni siquiera miró a Guille. Y contestó enseguida.

—El agua —dijo sin vacilar.

—Esta era la más fácil de todas —comentó Sara en tono burlón—. Nunca la había oído, pero vamos... cuanto más lavo más sucia estoy. Está claro que es el agua, ¿qué otra cosa podía ser?

—A ti te parece fácil, pero a ellas no —dijo Raúl en tono de advertencia—. Esto ya está resultando bastante tenso. Por favor, no compliques más las cosas.

—¡Yo no complico nada! Lo único que digo es que hay adivinanzas mucho más difíciles que esa.

—¿Por ejemplo?

La pregunta la había hecho Eria, que miraba con una sonrisa desafiante a Sara. Esta se acobardó un poco al notar los ojos azules de la *dryd* clavados en su rostro.

—Pues yo... No sé, muchas. De todas formas, ¿qué más da? Ya ha contestado a las cinco vuestras, que era lo que queríais.

—Te he hecho una pregunta y debes responderla —insistió Eria con un brillo de hielo en la mirada—. Estás en nuestro mundo, en nuestro territorio. Contesta, mortal. ¿Conoces una adivinanza más difícil que las cinco que hemos planteado? Pues pronúnciala en voz alta, para que podamos oírla todos.

Por primera vez desde que la conocía, Raúl observó que Sara parecía haber perdido toda su confianza en sí misma. Temblaba de pies a cabeza, se había puesto roja como un tomate, y ni siquiera se atrevía a levantar la vista del suelo.

Sin embargo, después de unos segundos encontró el suficiente valor para dar la respuesta que Eria le había exigido.

—Está bien —dijo con voz insegura—. Tengo... una especie de adivinanza para vosotras. Ya que sois tres hermanas, va sobre eso. Sobre hermanas... —Sara se atrevió por fin a levantar la vista y mirar a la *dryd* a los ojos—. Sería algo así:

¿Quién es la hermana de tu hermana
que no es tu hermana?

Todos miraron a Eria, preguntándose si sería capaz de responder a la pregunta. Pero Eria clavó sus ojos en su sobrina.

—Dame tú la respuesta. Si quieres demostrarnos que eres tan humana como dices, contesta a la pregunta.

—Pero no es justo —protestó Emma—. Habíais dicho cinco adivinanzas, y esta es la sexta...

—Agradéceselo a tu amiga. ¿No era tan importante para ti que te acompañaran? Vamos, contesta —exigió la *dryd.*

Emma miró angustiada a Guille, que parecía tan confuso como ella.

«La hermana de tu hermana que no es tu hermana —pensó Raúl—. La hermana de tu hermana... Vamos, Sara. Al menos piensa claramente la respuesta para que Emma la oiga. Vamos...».

—Eres tú —dijo Emma de pronto con gran seguridad—. Piénsalo, Eria. La hermana de tu hermana que no es tu hermana... Eres tú, no puede ser nadie más. ¿Lo entiendes?

—Sí. Lo entiendo —dijo Eria de mala gana después de un breve silencio—. Bela, tú decides. Esta era tu prueba. ¿Crees que la ha superado?

Por toda respuesta, la sombra de Bela trepó por la superficie lisa y blanca de la estatua. Al fundirse con

ella, la escultura se convirtió en una bella joven de rostro muy pálido, cabellos negros recogidos en la nuca y grandes ojos oscuros.

—Lo ha hecho bien, no puedo negarlo —dijo con voz triste—. Pero esto no ha terminado todavía. Queda la prueba de Iduna. Y si la superas, Emma, aún tendrás que enfrentarte a la última... Quizá la más difícil, porque ni nosotras mismas sabemos cómo puede salir.

Capítulo 8

Cuando Iduna se acercó a Emma, fue como si el jardín se oscureciese de repente. Su sombra se agitaba alrededor de la muchacha como un papel a merced del viento, transmitiendo una extraña inquietud a todos los que la observaban.

—No puedo aceptarlo. No puedo —exclamó aquella masa oscura con una voz sorprendentemente cristalina—. Emma, tú eres una *dryd,* es imposible que no lo sientas dentro de ti.

—Lo... lo siento —confesó Emma con un hilo de voz—. Lo sentía incluso antes de saber lo que significaba. Algo en mi interior que no encaja con lo que me rodea. Algo que los demás no entienden...

—¿Lo ves? No es tu mundo, nunca lo será. Y aun así estás intentando convencernos de que te abandonemos en él. Quieres renunciar a una existencia superior para quedarte atrapada en esa mísera vida mortal.

—No es eso. Puede que no encaje del todo aquí, pero tampoco encajo en vuestro mundo, Iduna.

—Hemos esperado mucho tiempo este momento —replicó la sombra, impaciente—. Para nosotros los años no significan lo mismo que para los humanos, pero aun así... en lugar de abandonarte a tu suerte nos quedamos aquí cuando Elena murió. Lo hicimos por ti, para que pudieras venir con nosotras cuando estuvieses lista. Nunca se nos ocurrió que tú pudieras desear otra cosa.

—Ni siquiera sabe lo que desea —opinó Eria sonriendo burlonamente—. No se da cuenta de lo que puede perder si nos aparta de su lado. Es ignorante y testaruda, como todos los humanos.

—Y aun así, atesoráis nuestras palabras...

Las dos *dryds* que habían cobrado vida se volvieron a mirar a Luz, que retrocedió un paso, acobardada.

—Quiero decir que no somos tan malos —explicó Luz tragando saliva—. Y además, no entiendo por qué obligáis a Emma a elegir entre ser una *dryd* y ser humana. Ella es las dos cosas, ¿no? ¿Por qué no podéis aceptar eso?

Eria y Bela se miraron en silencio, mientras la sombra de Iduna se quedaba repentinamente quieta.

—Emma ha llegado a una edad en la que no puede seguir siendo las dos cosas, como tú dices —explicó Bela con una triste sonrisa—. Debe decidir. Y cuando decida, no habrá marcha atrás. Si elige ser humana,

perderá para siempre sus dones, y nada de lo que nosotras pudiésemos hacer la ayudaría a recuperarlos.

—Sí —murmuró la sombra volviendo a agitarse en torno a Emma—. Y nosotras tendremos que irnos. No podemos permanecer en un hogar totalmente humano. Tendremos que irnos... y no solo nosotras.

—¡Iduna! Calla, por favor —dijo Eria mirando a la sombra de su hermana con los ojos muy abiertos—. Recuerda lo que prometimos.

—¿De qué estáis hablando? —preguntó Emma—. Tengo derecho a saberlo, ¿no?

—Sabes cuanto necesitas saber —replicó Bela con decisión—. Vamos, Iduna, explícale la última prueba. Si quiere intentar pasarla, no debemos interponernos. Recuerda...

—Está bien —la sombra se enroscó un instante a la cintura de Emma, luego se apartó de ella y se posó delicadamente en el suelo, recuperando su silueta humana—. Sabemos que existe un juego humano de gran dificultad que vosotros llamáis «Tabú». Consiste en explicar el significado de una palabra sin incluir otras cuatro en la explicación. La prueba es ese juego, sobrina. Te diré cinco palabras que debes definir y te indicaré las palabras que no puedes usar en la definición. ¿Aceptas el desafío?

Sara empezó a asentir vigorosamente con la cabeza mientras abría mucho los ojos y arqueaba exageradamente las cejas. Raúl la observó con inquietud: era su forma de decirle a Emma que estaba lista para ayudarla, pero ¿no podía intentar comunicárselo de una manera más discreta?

—Estoy lista —dijo Emma con rapidez, probablemente para que Sara dejase de hacer aspavientos—. Cuando queráis.

—De acuerdo: la primera palabra es... «Tenedor» —dijo la sombra—. Y no puedes decir ni «cubierto», ni «comer», ni «alimento», ni «pinchar».

—Está bien —Emma miró a Sara, desorientada, pero esta tenía los ojos cerrados y una confiada sonrisa en el semblante. Poco a poco, los rasgos de Emma empezaron a relajarse—. Un tenedor es un objeto que se usa para llevarse a la boca la... comida, y que tiene púas para enganchar cada bocado.

La sombra emitió un murmullo que tal vez fuese una risilla.

—Supongo que... puede aceptarse. De todas formas, esta era la más sencilla. Veamos a ver qué te parece la segunda... «libro». Y no puedes usar ni «papel», ni «leer», ni «hojas», ni «páginas».

A Sara se le escapó una risita de satisfacción. Guille le dio un codazo en las costillas.

—¡Eh, que me desconcentras! —dijo ella sin molestarse en bajar la voz—. ¡Y no es el momento!

—Cállate —susurró Luz—. Lo vas a estropear todo.

Eria miró con el ceño fruncido hacia el grupo que formaban los compañeros de Emma junto a la fuente de mármol, pero por fortuna enseguida dejó de prestarles atención. Ni ella ni sus hermanas tenían idea de lo que estaba sucediendo. Y si Sara dejaba de meter la pata, a lo mejor llegaban hasta el final de la prueba sin descubrirlo, se dijo Raúl, intentando controlar su nerviosismo. Era el último paso. Solo un esfuerzo más, y aquella especie de pesadilla terminaría. Emma podría seguir siendo Emma... un poco rara, sí, pero tan humana como cualquiera de los demás, y más interesante que la mayoría.

Mientras Raúl intentaba calmarse con aquellos pensamientos, Emma había empezado a hablar.

—Un libro es un objeto que contiene texto, ya sean novelas, cuentos, poemas o información escrita sobre cualquier tema... Puede estar hecho de distintos materiales, incluso puede ser digital. ¿Es suficiente?

La sombra tembló un instante frente a ella, indecisa.

—Sí, creo que sí —dijo finalmente—. Vamos con la tercera palabra. Es «noche»: y no puedes usar «oscuridad», ni «día», ni «luna», ni «tiempo». Te dije que la cosa se iría complicando...

Emma asintió y clavó la mirada en la estatua de Iduna. Parecía estar meditando profundamente. Por fortuna, esta vez Sara no hizo nada para llamar la atención. A pesar de su afán de protagonismo, su ayuda estaba resultando bastante eficaz, se dijo Raúl. Por lo menos, hasta ese momento.

—Vamos a ver —comenzó Emma—: la noche es un periodo durante el cual no brilla la luz del sol, debido a la rotación de la Tierra sobre su propio eje, que se repite cada veinticuatro horas.

—Uauu —exclamó Guille, impresionado—. Parece la definición de un diccionario. Muy bueno, Emma...

—Esto no ha terminado aún —murmuró la sombra de Iduna—. Aún quedan dos palabras, y además queda tu decisión, Emma, que en cualquier momento lo puede cambiar todo. Nos perderás para siempre si superas la última prueba.

—Pues vaya disgusto —murmuró Sara, lo suficientemente alto para que todos lo oyeran—. Como si fuera tan terrible deshacerse de tres tías completamente inhumanas y frikis.

Eria se encaró con Sara y clavó en ella sus fríos ojos azules.

—Cállate —dijo con suavidad—. Cállate o lamentarás haberte cruzado en nuestro camino.

«Lo que faltaba», pensó Raúl tragando saliva. Desafiar a Sara no era buena idea. Nunca salía bien, al menos en el colegio.

Pero con las *dryds,* por lo visto, la cosa cambiaba bastante, porque sorprendentemente Sara no replicó.

—Como estaba diciendo, nos perderás a las tres —prosiguió Iduna, irritada por la interrupción—. Pero eso no es lo más grave, Emma. Perderás también una parte de ti misma que jamás podrás recuperar. Y perderás...

—Basta, Iduna —dijo Bela, mirando a su hermana con ojos llameantes—. No la amenaces. Tenemos que cumplir nuestra promesa.

—No la estoy amenazando, solo la estoy informando. Ella tiene derecho a saber la verdad, ¿no? Tiene derecho a saber lo que pasará.

—Tiene derecho a elegir su camino —puntualizó Bela—. Es lo que su madre quería, y le dimos nuestra palabra de que respetaríamos su voluntad.

La sombra de Iduna se agitó convulsa en el aire, indicando que no estaba nada conforme con el rumbo que estaban tomando las cosas. Sin embargo, dejó de protestar... emitió algo parecido a un suspiro hondo que se multiplicó cientos de veces entre la hierba y en las hojas de los árboles.

—Entonces, sigamos —suspiró por fin—. La cuarta palabra es «compasión». Confieso que nunca he entendido muy bien su significado. A ver si eres lo bastante humana para explicárnoslo, Emma... Pero eso sí, no puedes usar en tu explicación las siguientes palabras: «sentimiento», «sentir», «tristeza» y «empatía». Vamos, inténtalo.

«Compasión es lo que yo siento en este momento —pensó Raúl—. Por Emma...».

Entonces recordó que ella podía escuchar sus pensamientos, y se ruborizó, aunque por suerte nadie se dio cuenta. Seguramente Emma estaría demasiado concentrada en los pensamientos de Sara para haber captado los suyos. ¡Menos mal! Pero por otro lado... todos habían ayudado a Emma de alguna forma menos él. Se sentía un poco inútil, allí junto a la fuente, esperando mientras los demás iban haciendo uno a uno su trabajo. A lo mejor Emma le había invitado únicamente para que convenciera a los otros tres, que eran los que realmente podían ayudarla.

—La compasión es una emoción negativa que te invade cuando a otra persona le sucede algo malo, y que te hace sufrir por esa persona como si dentro de ti se reflejase lo que esa otra persona está... experimentando.

—¡Uf! —murmuró Sara casi al oído de Raúl—. Ha estado a punto de decir «sintiendo», ¿te has fijado? Suerte que se ha dado cuenta a tiempo.

A escasa distancia de su sobrina, Eria y Bela la contemplaban con ojos infinitamente tristes. Tal vez las *dryds* no entendiesen muy bien el significado de la palabra «compasión», pero en ese momento lo que reflejaban sus caras al mirar a Emma era algo muy parecido a ese sentimiento.

—Terminemos con esto —murmuró la sombra de Iduna con voz derrotada—. Es la última palabra: «amor». Otra de esas palabras que les encantan a los humanos... No puedes usar para definirla ni «sentimiento», ni «pasión», ni «corazón» ni «querer». ¿Entendido?

Emma asintió.

—Amor... amor es una atracción que... experimentas... hacia otra persona, que hace que esa persona se convierta en lo más importante de tu vida, que seas capaz de sacrificarte por ella, de mejorar por ella... que hace que sufras por ella si las cosas le salen mal y te alegres con ella si las cosas le salen bien.

—Pero eso es lo mismo que has dicho antes para definir la palabra «compasión», ¿no? —objetó Iduna—. Más o menos...

—La diferencia es que cuando amas a alguien, lo que le ocurre a esa persona te importa más que lo que te ocurre a ti mismo. Te vuelves generoso. Y te hace feliz hacer feliz a la otra persona. No sé si me explico.

—¿Es así? —preguntó la sombra de Iduna deslizándose hasta detenerse frente a Julio, que permanecía un poco apartado de todos los demás, bajo un sauce.

—Es así, cuando se trata de amor verdadero —contestó el padre de Emma mirando a la sombra—. Como el que yo siento por Emma... como el que sentía por Elena. Y ella por mí.

La sombra suspiró. Luego, sin hacer el menor ruido, flotó hasta la estatua de Iduna y se fundió con el mármol, infundiéndole vida.

Una mujer pelirroja, de piel tan blanca y perfecta como si fuese de porcelana, descendió majestuosamente del pedestal y clavó en Emma sus enigmáticos ojos verdes.

—Aún no hemos terminado —dijo—. Falta la prueba definitiva. Ven con nosotras... Esto va a ser difícil para ti, pero antes o después tenía que llegar.

Capítulo 9

—No puede ser —murmuró Luz con voz temblorosa—. Esto es un jardín, no un cementerio. No puede ser una tumba...

Emma, que la había oído, se volvió a mirarla con una triste sonrisa.

—Mamá quería que la enterrásemos aquí, lo dejó escrito antes de morir. No es una tumba cualquiera, Luz; es la tumba de mi madre. No debe daros ningún miedo, os lo aseguro.

—No te preocupes, no estamos asustados —dijo Raúl intentando que su voz sonase lo más firme posible.

Emma se lo agradeció con la mirada. Las tres *dryds*, que los habían guiado hasta aquel apartado rincón bajo los árboles, se habían colocado alrededor de la tumba. A pesar de que ya no eran sombras y de la apariencia humana de sus rostros, había algo inquietante en sus fríos ojos claros.

—Esta es la última prueba, la definitiva —dijo Iduna clavando aquella mirada de hielo en su sobrina—. Como tal vez te haya contado tu padre, uno de los dones humanos que más admiramos las *dryds* es el de la poesía. Cuando tu madre renunció a su poder para volverse humana, conservó su afición por los poemas. Los leía, los aprendía de memoria... y algunas noches salía al jardín de noche y los recitaba en voz alta, para regalárnoslos.

—Llegó incluso a escribir algunos —continuó Eria con una sonrisa—. Cuando nos lo dijo, comprendimos que la habíamos perdido definitivamente, que se había vuelto demasiado humana como para regresar con nosotras. Ahora te toca a ti, Emma. Demuéstranos que también tienes ese don y te dejaremos en paz para siempre.

Emma dio un paso inseguro hacia la tumba. La lápida de mármol brillaba a la luz de la luna, que por fin había salido de entre las nubes.

—Pero ¿por qué aquí? —preguntó—. ¿Qué tiene esto que ver con mamá? ¿Es porque a ella le gustaba la poesía?

—Es porque... —comenzó Eria.

—Es porque así debe ser —la interrumpió su hermana Bela, fulminándola con la mirada—. Y ahora, los poemas. Nosotras recitaremos los dos primeros versos, y tú tienes que inventar dos versos más, pero con rima. El segundo debe rimar con el cuarto.

—El segundo con el cuarto —repitió Emma, como si tratase de memorizarlo—. Sí, es una rima muy normal.

ELENA

Sus ojos se encontraron con los de Raúl, que hizo un gesto de asentimiento con la cabeza. Había llegado su momento.

Aunque nunca se lo había dicho a nadie, Raúl escribía poemas en secreto desde los ocho años. Nunca se los había dejado leer a sus padres ni a ningún amigo, porque le daba vergüenza. Los poemas hablaban de sus sentimientos, de las cosas que le importaban y le emocionaban, pero seguramente a los demás les parecerían tonterías. Por eso no compartía sus versos con nadie. Sin embargo, Emma conocía su secreto, estaba claro. Ella podía oír los pensamientos de los demás, y por eso lo sabía. Probablemente lo habría descubierto en el colegio, porque a veces, cuando le venía la idea de un poema a la cabeza en mitad de una clase, Raúl sacaba con disimulo un cuaderno y en la última hoja escribía lo que se le había ocurrido, para que no se le olvidara.

De todas formas, que le gustara escribir poesía no quería decir que fuese a ser capaz de ayudar a Emma en aquella prueba. Bela lo había dejado bien claro: los poemas tenían que tener rima. Y eso era una complicación, porque la mayoría de los poemas que escribía Raúl no rimaban.

—¿Estás lista? —preguntó Bela casi con amabilidad—. Pues vamos, Emma, cuando quieras. Estos son los versos del primer poema:

La noche canta
con voz de grillo...

Raúl sabía lo que tenía que hacer. No se trataba de pensar una continuación lógica de aquella frase, sino de dejarse llevar por lo que le sugería. Cerró los ojos y permitió que su imaginación volase, uniendo el recuerdo del canto de los grillos con la oscuridad de la noche. Los grillos... Los grillos siempre le hacían pensar en las estrellas. Entonces, de repente, se le ocurrió el resto del poema. Lo recitó para sí mismo mentalmente, para que Emma pudiese captarlo bien...

Fue como un milagro oírle a la muchacha repetir en voz alta los mismos versos que acababan de nacer en su pensamiento:

La noche canta
con voz de grillo,
con voz de estrellas
de oro amarillo.

Guille se puso a aplaudir, encantado. Y Luz se le unió enseguida.

—Enhorabuena, Emma, ¡lo estás haciendo muy bien!

—Dejadla, no la distraigáis —rogó Julio, que parecía cada vez más nervioso a medida que se acercaba el final de las pruebas—. ¡Esto no es fácil!

Emma miró agradecida a Raúl, pero antes de que él pudiera responder a aquella mirada, Eria comenzó a recitar el comienzo del segundo poema.

—A ver qué puedes hacer con esto, sobrina. Dice así:

La luna brilla
presa en el río.

Los ojos de Emma seguían clavados en Raúl. El chico tragó saliva, un poco desconcentrado por la intensidad violeta de aquella mirada. Se repitió mentalmente los dos versos: «La luna brilla / presa en el río...»

Entonces, en los ojos de Emma, encontró la continuación que estaba buscando. Y casi al mismo tiempo, la oyó en los labios de Emma:

La luna brilla
presa en el río.
Tu corazón
no es como el mío.

—Es triste. Y extraño —murmuró Luz.

—Es... bonito —susurró Sara.

Raúl notó un destello de curiosidad en los ojos de Emma. ¿Por qué le habían venido esos versos a la mente? Ni él mismo lo sabía. Solo sabía que el poema hablaba de Emma... y de él... y de un sentimiento que no sabía cómo describir.

Por suerte, las *dryds* no se hacían tantas preguntas sobre el significado de los poemas como los humanos. Simplemente los memorizaban para atesorarlos el resto de sus vidas, quizá porque el sonido les gustaba, quizá porque los poemas de los mortales les ayudaban a concentrarse cuando tenían que hilar objetos mágicos con la luz de las estrellas.

—Este es el tercer poema —dijo Iduna con voz cantarina—. A ver si eres capaz de completarlo tan rápidamente como los otros dos. Dice lo siguiente:

Susurra el viento
entre las hojas.

Raúl cerró los ojos para concentrarse mejor. No se le ocurría nada. ¿Qué le estaba pasando? El poema anterior le había distraído, y ahora no conseguía dejarse llevar por las palabras. Le venían a la cabeza rimas tontas que no le inspiraban ninguna idea: hojas rima con mojas, con cojas, con...

La voz de Emma le devolvió bruscamente a la realidad.

—Lo tengo —dijo la muchacha—. Podría ser:

Susurra el viento
entre las hojas.
Otoño gris,
mañanas rojas.

Raúl miró a la muchacha con los ojos muy abiertos. Aquello no lo había pensado él. ¿Se le habría ocurrido a la propia Emma? A juzgar por la cara de admiración con que la miraban todos, el poema era enteramente suyo, nadie se lo había prestado a través de sus pensamientos.

De modo que, al final, ni siquiera los necesitaba. Les había pedido ayuda porque no se sentía segura, porque tenía miedo de fallar, pero en el fondo Emma podía ser tan buena con las palabras como cualquier ser humano. Lo que significaba que hacía tiempo que había elegido su camino. No iba a convertirse en una *dryd*...

Sus tías también se habían dado cuenta. Sabían que la habían perdido. Por eso, quizá, parecían tan tristes. Pero aun así, iban a seguir con aquello: iban a realizar la prueba hasta el final.

Eria fue quien tomó entonces la palabra:

—A ver qué puedes hacer con estos versos:

Murmura el agua
sobre la piedra.

De pronto, Raúl se sentía tranquilo. Ya no estaba asustado, porque estaba convencido de que todo iba a salir bien. Tal vez por eso, enseguida le vino a la cabeza una idea para el tercer verso: «crece el silencio...».

La voz de Emma interrumpió sus pensamientos:

Murmura el agua
sobre la piedra,
crece el silencio
como la hiedra.

Esta vez, incluso Raúl aplaudió. ¡Era casi mágico lo que acababa de pasar! Él había pensado el tercer verso y Emma lo había oído en su mente y lo había completado, añadiendo el cuarto...

¡Estaba claro que formaban un gran equipo!

—Vamos con el último —murmuró Bela—. Emma, ¿eres consciente de que, si superas esta prueba, ya no podrás volverte atrás? Nosotras tendremos que irnos, y el mundo de las *dryds* dejará de ser tu mundo.

—Estoy lista —murmuró la chica—. ¿Cuál es el último poema?

—Bueno, será como tú lo inventes. Nosotras solo te damos los dos primeros versos:

Oscura noche,
sueños extraños...

«Como esta noche», pensó Raúl. Casi se sentía feliz, aunque no entendía por qué. Sí, todo lo que había pasado aquella noche había sido oscuro, misterioso y extraño. Y aun así, se alegraba de estar en aquel jardín, delante de aquella tumba, ayudando a Emma. Viviendo una experiencia que jamás podría olvidar... Y por la que muy pocos seres humanos habían pasado, eso seguro.

Las ideas para continuar el poema empezaron a acudir a su mente. Tenía más de las que podía procesar. Tantas, que no sabía cuál elegir.

Pero Emma eligió por él:

Oscura noche,
sueños extraños.
Pasan las horas,
vuelan los años.

Cuando Emma terminó de recitar los versos, se hizo un profundo silencio. Las *dryds* miraban a su sobrina con sus ojos fríos y serenos. La miraban como si ya no les importase, como si ya la hubieran perdido.

Pero entonces se oyó una especie de quejido. Venía de la lápida de mármol de la tumba. Y justo al mismo tiempo, sobre la lápida se perfiló la sombra delicada de una mujer con una túnica larga y los cabellos sueltos.

—Emma...

—¿Mamá?

La sombra se volvió más clara, y en la parte que correspondía al rostro emergieron unos rasgos bondadosos y delicados.

—¿Mamá? —repitió Emma, y esta vez la voz se le quebró en un sollozo—. Pero tú... tú no estabas aquí. Tú nunca...

—He estado aquí siempre, Emma, observándote, esperando. Pero no quería interferir. Quería que tuvieses tu oportunidad, que pudieses elegir con libertad.

—No... No entiendo. Pero entonces, ¿estás viva? ¿Eres una *dryd?*

—Mi parte humana murió, hija, pero mi parte *dryd* es inmortal. Me alegro de que hayas encontrado tu camino. Te quiero, Emma... Y a ti, Julio. Gracias por todo lo que has hecho por ella. Gracias por haber soportado todo esto. Ahora la vida será más fácil para vosotros. Era tu mitad *dryd* la que mantenía este jardín habitable para nosotras, pero esa parte de ti, por ahora, se ha dormido. Debemos irnos.

—¿Tú también? Pero tú no, mamá. Tú no eres como ellas —gimió Emma desesperada—. Y ahora que has vuelto... ¡No puedes irte! ¡Y todo por mi culpa!

Las hermanas de Elena observaban la escena con serena indiferencia. Pero el rostro semitransparente de Elena parecía terriblemente conmovido... como el rostro de un ser humano.

—Si hubieras sabido esto, no habrías tenido valor para elegir. Habrías intentado retenerme conservando tu parte *dryd*. Y habría sido un error, Emma, porque tú no quieres eso.

—Pero no quiero perderte. Mamá, te necesito. Por favor...

—Mira dentro de tu mano.

Emma abrió la mano derecha y contempló asombrada la pequeña joya que brillaba en el centro de la palma. Raúl avanzó unos pasos para verla mejor. Era una piedra brillante y azul rodeada de diminutas perlas y estrellas de plata.

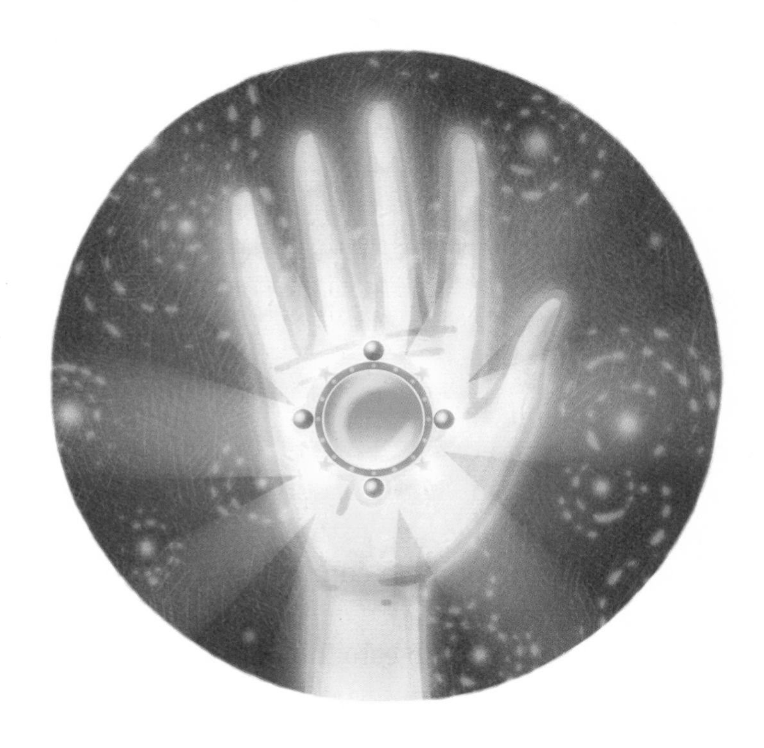

—Es una de nuestras joyas mágicas, hilada con la luz de las estrellas —murmuró Elena, sonriendo—. Guárdala para siempre, hija. Y cuando me necesites, cuando me necesites de verdad, solo tienes que mirarla y me sentirás a tu lado.

—¿Vendrás cuando la mire?

—No, pero estaré contigo. Y tú te darás cuenta, te lo prometo. Nunca me perderás. Además, ahora empiezas una nueva etapa de tu vida —añadió Elena mirando con expresión grave a Raúl y a los otros compañeros de su hija—. Ya no estarás sola... Sé muy feliz, Emma. Si tú estás bien, yo estaré bien.

Epílogo

—¿Qué tal fue la fiesta?

Mientras hacía la pregunta, María sacudía sin piedad a su hermano, que un minuto antes dormía profundamente. Raúl se incorporó como movido por un resorte y miró desorientado a su alrededor. El corazón le latía a toda velocidad. ¿Dónde estaba? ¿Qué hora era? Tardó unos segundos en comprender que se encontraba en su cama, y que era sábado por la mañana. La noche anterior, después de volver del cumpleaños de Emma, había tardado mucho tiempo en dormirse. No podía quitarse de la cabeza la cara pálida y triste de su compañera mientras contemplaba a las cuatro sombras que se alejaban flotando en el viento hasta fundirse con la oscuridad del cielo.

—Mamá dice que ayer, cuando fue a buscarte, no quisiste contarle nada —insistió María, que se había sentado en el borde de la cama y balanceaba distraídamente las piernas—. Dice que, cuando llegó, no parecíais estar pasándolo muy bien, pero que el padre de esa Emma es un hombre muy educado. Fue un desastre, ¿eh? Confiésalo.

—Fue... diferente —admitió Raúl estirando los brazos por encima de la cabeza y echando una ojeada rápida al despertador—. No creo que vuelva a ir a una fiesta así, la verdad.

—Lo sabía. Mamá dice que parecía más una fiesta de *Halloween* que de cumpleaños. Con la casa en ruinas y no sé cuántas cosas más.

—No es verdad. Fue... extraño, pero también fue bonito.

—¿Qué hicisteis después de la merienda? ¿Jugar a la consola? O a lo mejor bailasteis... En las fiestas de mayores siempre se baila.

—No hicimos nada de eso. Jugamos... con las palabras.

—¿Sí? No suena muy divertido.

—Fue algo más que divertido —gruñó Raúl, apartando a su hermana con un suave empujón para poder levantarse—. Fue apasionante, aunque no te lo creas.

—Ya. Seguro...

Raúl suspiró. No podía contarle a nadie lo que realmente había sucedido la noche anterior en casa de Emma. María no entendería jamás, por mucho que intentase explicárselo, lo emocionante que podía llegar a ser jugar a completar refranes o a inventar poemas cuando lo que estaba en juego era que alguien siguiese siendo humano o dejase de serlo.

—Si te invita el año que viene, ¿volverás a ir? —preguntó María.

A esa pregunta sí podía contestar.

—Claro que iré. Me gusta Emma. Me cae bien su padre, y su casa es rara y especial. De todas formas, no voy a esperar tanto tiempo... He quedado en pasar a recogerla esta tarde.

Por una vez en su vida, María pareció quedarse sin palabras.

—Vas... a pasar... a recogerla. ¡Es tu novia! No te atrevas a negarlo, esta vez está claro. ¡Mamá, Raúl sale con Emma!

Raúl miró a su hermana con una sonrisa. El día anterior se habría enfadado con ella por decir que Emma era su novia, pero las cosas habían cambiado. Ahora, Emma era una amiga, y no le molestaba que le acusaran de estar saliendo con ella, aunque fuese mentira.

—Deja de meter la pata, María —dijo, casi con amabilidad—. No vamos a salir solos... También vienen los otros. Hemos quedado todos para ir al cine.

La cara de pasmo de su hermana casi resultaba cómica.

—¿Los otros? ¿Los otros que fueron a la fiesta? ¿Sara también?

—Sí, Sara también. Y Guille, y Luz... Iremos los cinco.

—Pero ¿por qué? No entiendo nada. ¿Sara no es una de las *barbies?* ¿Por qué no sale con sus amigas?

¿Y Emma no era la rara de la clase? ¿Qué pasó ayer en la fiesta, os dio una poción mágica que os afectó al cerebro o algo así?

—Algo así —dijo Raúl sonriendo—. ¿Sabes? La gente a veces no es lo que parece. Pero hace falta que pase algo especial para que te des cuenta. Supongo que nos hemos hecho amigos...

Y entonces María, en lugar de burlarse o echarse a reír o decir alguna estupidez, asintió con gesto serio.

—Sí, te entiendo. Bueno, anda, ven a desayunar, que papá ha hecho tostadas y se enfrían.

Cuando María salió del cuarto, Raúl cerró los ojos y suspiró con una sonrisa en los labios. María tenía razón, la fiesta de cumpleaños de Emma había tenido mucho de mágica. Y lo más curioso era que parte de aquella magia no tenía nada que ver con las *dryds,* sino con los seres humanos. Con lo mucho que pueden sorprenderte... siempre que estés dispuesto a dejarte sorprender.

Ana Alonso

Antes de medianoche

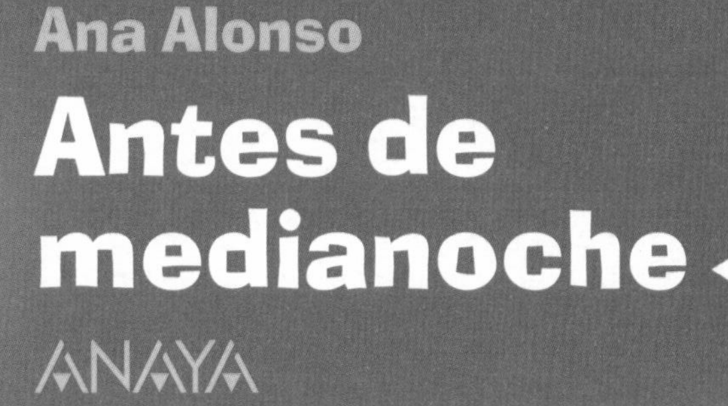

ANAYA

LAS FICHAS DE PIZCA DE SAL

1 Para practicar lo aprendido

Contenidos

Tabú y eufemismos

Juegos de palabras

Reglas de juegos

Actividades

De refuerzo: 1 y 2

1 **Define delante de tus compañeros alguno de los siguientes términos, utilizando las reglas del juego de «Tabú».**

DEFINIR	TÉRMINOS PROHIBIDOS
Gafas	cristal • ojos • vista • miope
Salud	enfermedad • cuerpo • organismo • sano
Espejo	reflejo • cristal • imagen • luz
Nadar	agua • natación • deporte • piscina
Examen	preguntas • prueba • control • nota
Lluvia	agua • nubes • chubasco • gotas

2 Observa estas fotografías. Luego, descríbelas en voz alta sin utilizar las palabras que figuran debajo.

a) montaña / aldea / casas

b) palmeras / mar / playa

Nombre: ______________________________

2 Para comprender lo leído

1 ¿Por qué Emma deja una nota en la página de la agenda de Raúl que corresponde al **día 22 de marzo?**

2 ¿Por qué **necesita** Emma la **ayuda** de Raúl y de los otros compañeros de clase?

Contenidos

Lectura comprensiva

Interpretación de textos

Actividades

De refuerzo: 1, 2, 3, 4 y 5

3 ¿Quiénes son las **dryds?** ¿En qué se diferencian de los seres humanos?

____

____

4 ¿Qué ocurre con la **madre de Emma** al final de la historia?

____

____

5 ¿Crees que esta historia **termina bien** o **mal?** ¿Por qué?

____

____

Nombre: ______________________________

3 Para desarrollar la creatividad

Contenidos

Escribir poemas

Completar poemas

Actividades

Ampliación: 1 y 2

En equipo: 2

1 **Escribe un poema de al menos cuatro versos en el que aparezcan tres de las siguientes palabras:**

lugar • nada • otoño • siento • violín • mirada • tejado

2 En grupos de cuatro, completad el siguiente comienzo de poema añadiendo cada uno dos versos que encajen con los versos anteriores, hasta tener un total de dieciséis versos:

Cuando en las ramas empiezan
los pájaros a cantar

Nombre: ______________________

4 Para pensar y relacionar

Contenidos

Refranes y frases hechas

Actividades

De ampliación: 1 a 3

1 **Explica el significado del siguiente refrán y apréndetelo:**

Obras son amores, y no buenas razones.

2 **Compara estos dos refranes:**

a) *No por mucho madrugar amanece más temprano.*
b) *Al que madruga Dios le ayuda.*

¿Con cuál de los dos refranes estás más de acuerdo? Explica por qué.

3 Intenta completar los siguientes refranes y averiguar su significado:

a) *El que a hierro mata* ____________________

Significa: ____________________

____

b) *A buen hambre* ____________________

Significa: ____________________

____

c) *En el país de los ciegos* ____________________

Significa: ____________________

____

d) *Gallo que no canta* ____________________

Significa: ____________________

____

Nombre: ____________________

5 Para buscar información

1 **Pregunta a personas de tu entorno por las adivinanzas que conocen y anótalas en tu cuaderno. Escribe aquí algunas de las que más te gusten. También podéis hacer un mural recopilándolas todas.**

ADIVINANZA	SOLUCIÓN

Contenidos

Adivinanzas

Juegos de palabras

La tradición oral

Actividades

Complementarias: 1 y 2

2 **Busca en Internet o en una biblioteca y escribe la adivinanza que corresponde a cada solución.**

ADIVINANZA	SOLUCIÓN
	El humo
	La oscuridad
	El viento

Nombre: ______________________________

6 Para comprender lo leído

1 **Busca en el libro una comparación y una metáfora que te llamen la atención, y explica su significado.**

a) Comparación: ______________________________

____

Significado: ______________________________

____

a) Metáfora: ______________________________

____

Significado: ______________________________

____

Contenidos

La comparación y la metáfora

Actividades

De ampliación: 1 y 2

2 Inventa una comparación original para completar las siguientes frases:

a) *El rostro de Eria era como* ______________________________

b) *Los ojos de Emma brillaban como* ______________________________

c) *La casa estaba tan silenciosa como* ______________________________

Nombre: ______________________________

7 Para aplicar lo aprendido

Contenidos

Adivinanzas

Ritmo y rima

Actividades

De refuerzo: 1

De ampliación: 2

1 **Intenta resolver las siguientes adivinanzas:**

ADIVINANZA	SOLUCIÓN
Cuanto más caliente más fresco y crujiente.	
Negra por dentro, negra por fuera es mi corazón negra madera.	
Tiene dientes y no come, tiene cabeza y no es hombre.	

2 Una multiadivinanza es una adivinanza que tiene varias soluciones.

a) Escribe tres soluciones para las siguientes multiadivinanzas:

Adivinanza	Solución	Solución	Solución
Es dulce y blanco			
Es transparente y de cristal			
Es verde y se mueve			

b) Ahora, inventa tú tres multiadivinanzas y propónselas a tus compañeros:

Adivinanza	Solución	Solución	Solución

Nombre: ______________________________

8 Para aprender a aprender

1 Recita en voz alta el siguiente poema. Si quieres, puedes aprenderlo de memoria:

Agosto, contraponientes
de melocotón y azúcar,
y el sol dentro de la tarde
como el hueso en una fruta.

La panocha guarda intacta
su risa amarilla y dura.

Agosto.
Los niños comen
pan moreno y rica luna.

FEDERICO GARCÍA LORCA

Contenidos

Recitar poemas

Comentar poemas

Actividades

De ampliación: 1 y 2

Interdisciplinar con Plástica: 2

2 **¿Qué te has imaginado al leer el poema anterior? ¿Qué significa para ti? ¿Qué es lo que más te gusta del poema? Contesta a las preguntas y haz un dibujo relacionado con el poema.**

Nombre: ____________________

9 Para expresarse por escrito

1 **Escribe un pequeño relato inspirado por el siguiente refrán:**

Cuando las barbas de tu vecino veas pelar, echa las tuyas a remojar.

Contenidos

Refranes y frases hechas

Actividades

De ampliación: 1 y 2

Interdisciplinar con Plástica: 2

2 Dibuja y escribe en una cartulina un cómic de cuatro viñetas, inspirado en el siguiente refrán:

El que a buen árbol se arrima,
buena sombra le cobija.

Para realizar esta actividad te interesa seguir unas pautas:

a) Define las características de los personajes que van a intervenir en las cuatro escenas.

b) Define la ambientación. ¿Cómo es el lugar que vas a ilustrar?

c) Escribe un pequeño guion con los diálogos que van a figurar en los bocadillos de cada escena.

Nombre: ____________________________________

10 Para comprender lo leído

1 **Lee este poema de Rafael Alberti y coméntalo con tus compañeros:**

Nana del niño malo

¡A la mar, si no duermes,
que viene el viento!

Ya en las grutas marinas
ladran sus perros.

¡Si no duermes, al monte:
vienen el búho
y el gavilán del bosque!

Cuando te duermas:
¡Al almendro, mi niño,
y a la estrella de menta!

RAFAEL ALBERTI

Contenidos

La comparación y la metáfora

Comentar poemas

Actividades

De ampliación: 1 y 2

En equipo: 1

2 Contesta a las siguientes preguntas sobre el poema:

a) ¿Qué representan los **perros** que ladran en este poema?

____

b) ¿Qué cosas o animales del poema se nombran como **amenazas**? ¿Por qué crees que el poeta ha elegido esas imágenes?

____

____

c) ¿Qué te **imaginas** al leer los tres últimos versos? ¿Qué sentimientos te inspiran?

____

____

Nombre: ______________________________

Ana Alonso
Antes de medianoche
Ilustraciones de Pedro Bascón